Анастасия ВОЛОЧКОВА

История русской балерины

издательство
МОСКВА
Санкт-Петербург
Астрель-СПб

УДК 792.8(092)
ББК 85.335.42(2)-8
В68

В книге использованы фотографии
ALIKHAN, Галины Андреевой, Влада Локтева,
Геннадия Калашникова, Дмитрия Каманина,
Александра Русака,
а также снимки из личного архива автора

Дизайн обложки: *Юлия Межова*

В68   Волочкова, А.
Историа русской балерины / Анастасия Волочкова.— М.:
АСТ; СПб.: Астрель-СПб, 2010.— 316, [2] с.: 64 л. ил.

ISBN 978-5-17-043221-9 (ООО «Издательство АСТ»)
ISBN 978-5-9725-1664-3 (ООО «Астрель-СПб»)

Немногие из современных «звезд» могут соперничать по популярности, в том числе и неоднозначной, с Анастасией Волочковой. Ее книга предельно искренне открывает в истинном свете то, о чем, захлебываясь во лжи и подтасовках, не переставая пишет в последние годы желтая пресса.

УДК 792.8(092)
ББК 85.335.42(2)-8

Подписано в печать 14.09.09.
Формат 84 × 108 $^1/_{32}$. Усл. печ. л. 16,8.
Доп. тираж 4000 Заказ № 7950

Общероссийский классификатор продукции
ОК-005-93, том 1: 953000 — книги, брошюры
Санитарно-эпидемиологическое заключение
№ 77.99.60.953.Д.009937.09.08 от 15.09.2008 г.

От души благодарю всех членов

моей замечательной команды за то,

что вы всегда рядом, коллектив Московского

академического музыкального театра имени

К. С. Станиславского и Вл. И. Немировича-

Данченко, в особенности Владимира Георгиевича

Урина и Александра Васильевича Чванова,

за вашу любовь и поддержку,

а также моих дорогих нянь, которые так

самоотверженно помогают мне воспитывать

мою любимую дочку Аришу!

Пролог

Петербург. Театральная площадь. Передо мной до боли знакомый фасад Мариинского театра. Сегодня мы со съемочной группой одного из центральных телеканалов должны снимать сюжет документального фильма — моя репетиция в балетном зале. Разрешение на съемку телекомпания получила заранее, но, как только руководство театра узнало, что фильм обо мне, сразу же запретило нам вход в театр. Сдерживаю слезы.

Мой первый театр. Мой родной театр. Однажды в личной беседе Валерий Гергиев сказал мне, что Мариинка навсегда останется для меня домом, что артиста невозможно отделить от той сцены, где начался его творческая жизнь. И сейчас мне хочется, пусть с опозданием, возразить ему: нет, возможно! Театр может сделать все, чтобы лишить артиста дома. Сколько раз я сталкивалась с этим! Пора бы привыкнуть... Но я не могу.

Смотрю на коринфский ордер, взгляд скользит вверх по колоннам к родному питерскому небу. Рисую в воображении Театральную площадь во всем ее величии: Крюков канал и консерватория, мост Декабристов и Торговый мост, Мариинский театр и уютные скверики с памятниками Глинке и Римскому-Корсакову... Почему с самого детства у меня пытаются отобрать самое дорогое, что может быть у человека, — мечту?!

Иногда мне кажется, что вся моя история — это история искусства открывать запертые двери. Тремя ключами — работой, творчеством и «золотым» ключиком — верой в то, что если чего-то по-настоящему очень хочешь, то обязательно этого достигнешь.

БАЛЕТ

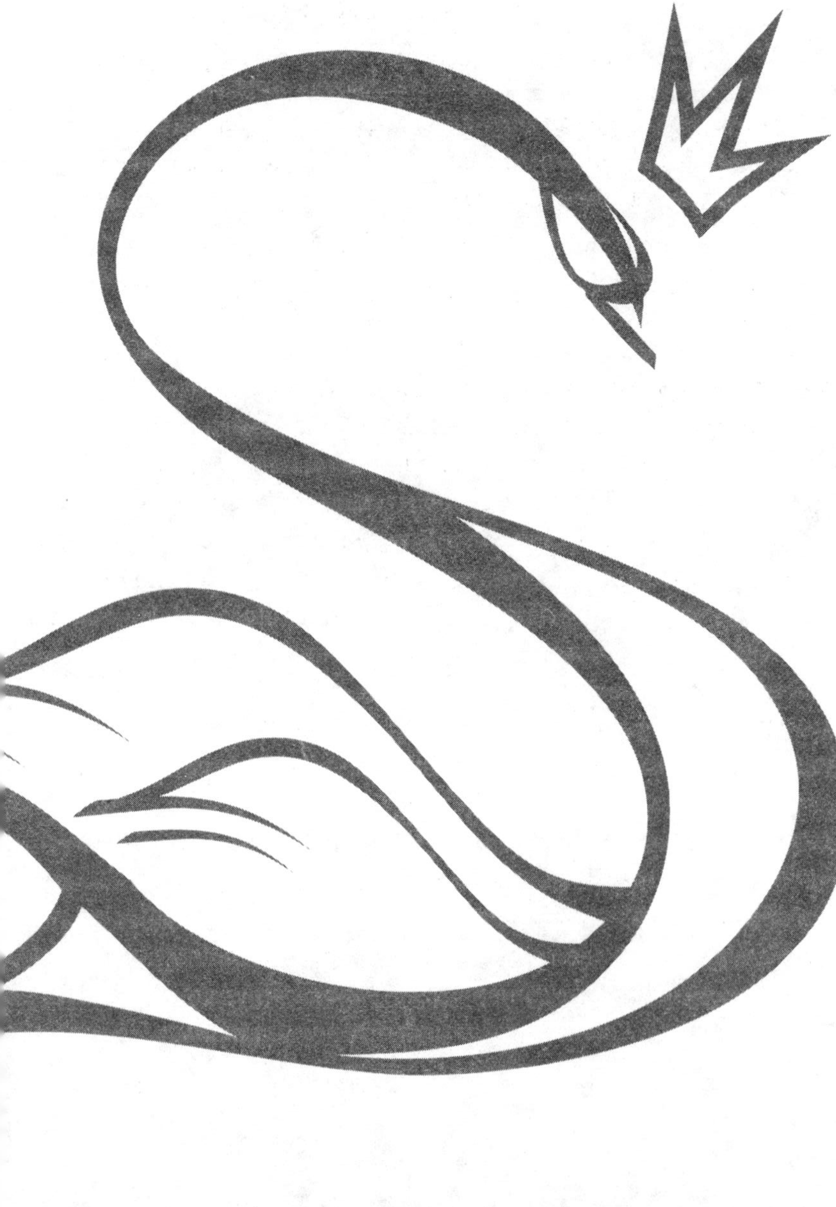

Глава 1

«ЩЕЛКУНЧИК»

— Да что вы, балет был просто прелесть какой и мне очень понравился! — сказала Мари, вставая и следуя за Щелкунчиком.

*Э. Т. А. Гофман.
Щелкунчик и Мышиный Король*

Мне кажется, что человек рождается дважды. Первый раз — физически, а второй — когда его душа просыпается. У меня такое чувство, будто моя жизнь началась в самом прекрасном месте на земле — в Мариинском театре, когда я впервые увидела балет «Щелкунчик». По крайней мере это мое первое осознанное воспоминание, связанное с балетом. Я много раз спрашивала у мамы о том, что было до этого. Она подробно рассказывала, перечисляла какие-то мелкие детали, но мне казалось: все это не я, не обо мне. Хотя, конечно, можно предположить, что это дорогое мне воспоминание просто затмило своей яркостью все предыдущие.

Это было перед самым Новым годом. Мне тогда еще не исполнилось и пяти лет. Но я хорошо помню свои впечатления и от театра, и от балета. Голубой с золотом пышный зал театра поразил меня своим торжественным великолепием. Он показался мне похожим на храм, в который меня водили мама и бабушка.

Я с жадностью рассматривала все детали театрального убранства: люстру, роспись плафона, золотую лепнину, бархатные кресла. И этот ни с чем не сравнимый запах праздника и чуда...

В воздухе была такая напряженная атмосфера ожидания, что любая мелочь, попавшая в поле зрения, становилась очень важной, даже сеточка, натянутая под бархатными перилами лож, на которой лежали программки. Я спросила, для чего она здесь, и мама ответила, что в старину красиво одетые дамы укладывали на эти сеточки свои веера. Мама объяснила мне, как надо вести себя в театре. И мне очень захотелось быть такой же нарядной и выглядеть так же красиво и достойно, как те дамы.

Еще до начала первого акта у меня появилось ощущение, что я здесь не случайно. Детей до шести лет не пускали на спектакли, о чем сообщалось на обратной стороне билетов. А мне посчастливилось присутствовать на балете просто благодаря тому, что родители были знакомы с администратором Мариинского театра. Это сейчас я могу позволить себе сказать «просто». А тогда мне казалось, что разрешение получено почти от самого Господа Бога (во всяком случае, по моему детскому восприятию, от кого-то самого главного). Таким сильным было ощущение избранности и ответственности.

Но самое главное впечатление — это спектакль! С ним пришло Волшебство: ангелы, звезды, снежинки, сказочная елка и танцующие дети. Я увидела на сцене настоящий новогодний праздник. И услышала мелодию, которую сразу узнала, потому что слышала ее раньше и очень любила. В нашем доме музыка звучала всегда. У нас было много пластинок, в том числе и с классическими произведениями. Но здесь, в театре, я впервые услышала живой оркестр, и это меня потрясло. Музыка обволакивала меня и погружала в себя целиком. На время спектакля я ощутила себя маленькой Мари, которая вместе с сестрой Луизой празднует Рождество в своем доме. Приходит старый добрый друг семьи и дарит детям забавную игрушку — Щелкунчика. А ночью после бала Щелкунчик и Мари вместе с игрушками и оловянными солдатиками сражаются с мышиным войском, одерживают победу, и рождественский подарок старика — некрасивая игрушка — превращается в прекрасного принца.

Первый акт завершился «Вальсом снежных хлопьев». Гораздо позже я читала сценарий Мариуса Петипа. Там этот эпизод описан очень хорошо: «Зала превращается в зимний еловый лес. Начинает падать снег крупными хлопьями, поднимается метель. Постепенно она утихает, и зимний ландшафт освещается мягким светом луны, от которого снег искрится, как будто по нему рассыпаны бриллианты». Тогда я еще не знала, что такое танцевальный рисунок, но все происходящее на сцене создавало именно этот волшебный пейзаж.

Я завороженно смотрела на солистов, исполняющих главные партии — Мари и Щелкунчика, и понимала, что больше всего на свете мне хотелось бы оказаться там, на сцене, в самом сердце этого удивительного танцевального волшебства, среди сказочно красивых людей, которых не встретишь в обычной жизни. А еще волна восторгов, аплодисментов, криков «браво» захлестнула и оглушила меня. Мне захотелось, чтобы люди в зале с таким же удовольствием аплодировали мне и испытывали по отношению ко мне такие же чувства, какие испытывала я после увиденного спектакля, — удивление, восхищение и благодарность.

Потом это детское желание переросло в нечто большее. В тот момент у меня появилась не просто мечта, а настоящая цель в жизни и уверенность, что я ее достигну. В тот день я сказала: «Мама, я буду балериной!»

Самое интересное, что судьба потом привела меня именно в «Щелкунчик» — он стал первым спектаклем в моей балетной жизни. И позже я даже провела некоторые параллели между событиями своего детства и историей этого балета.

Вскоре мама сказала мне, что в Вагановское балетное училище принимают в возрасте десяти лет. Мне предстояли, как мне тогда казалось, долгие годы ожидания. И все эти пять лет я не переставала мечтать о балете. Я уже понимала значение музыки в балетном спектакле и поэтому очень хотела учиться играть на каком-нибудь инструменте. Мои родители купили для меня первоклассное пианино. Они никогда не жалели денег на мое воспитание и образование, в том числе и на музыкальное.

Мой папа, Юрий Федорович Волочков, профессиональный спортсмен, многократный чемпион Ленинграда и СССР, мастер спорта международного класса, был государственным тренером сборной России по настольному теннису.

Мама, Тамара Владимировна Антонова, была инженером и работала в проектном институте Академии наук. К тому же она сумела окончить Государственные курсы экскурсоводов и в свободное от основной работы время проводила замечательные экскурсии по Летнему саду. Несмотря на скромные доходы, мои родители всегда старались покупать все самое лучшее, что было необходимо для профессиональной деятельности. Это касалось всех членов семьи. У папы всегда была самая современная ракетка и лучшие накладки к ней. Я наблюдала с детства, как он бережно и заботливо обращался с ними. Теперь я часто вспоминаю об этом, когда готовлю к спектаклю или репетиции свои пуанты.

Еще за три года до поступления в Вагановское училище я начала приучать себя к мысли, что ничего не падает с неба, все достигается только трудом. Моя постоянная занятость позднее переросла в привычку аккуратно расходовать время, то есть заниматься только тем, что действительно является важным.

Дома я могла предаваться мечтам. Соорудила себе костюм из скрученной в несколько слоев марли, подвязанный поясом от маминого халата, похожий на балетную юбку-«шопенку», и с упоением исполняла перед соседями танцевальные импровизации в нашей перед крохотной гостиной. Это сегодня в балетном магазине можно приобрести необходимые для занятий купальник, балетную юбочку, гетры или даже костюм. Во времена моей юности об этом можно было только мечтать. Когда у нас собирались гости и соседи, мне нравилось устраивать для них, как мне казалось, целые представления. Многочисленное население коммуналки называло меня не иначе как «наша Анна Павлова»... Да и родители (я и сейчас очень им благодарна за это) достаточно серьезно отнеслись к моему детскому желанию стать балериной. А пока решили развивать все имеющиеся у меня способности.

Музыкальность у меня в генах. У папы был абсолютный слух. Он замечательно играл на баяне и всегда был душой любой компании. Он сумел передать мне любовь к музыке и желание учиться. Первым учителем по фортепиано у меня была старенькая пианистка, в прошлом — преподаватель ленинградской консерватории, которую папа смешно окрестил «старушка Изергиль». И, надо сказать, не зря. Она была очень строгая и била меня по рукам, когда я брала не ту ноту. И еще она любила стучать по моей спине своими длинными ногтями, исправляя осанку. Заниматься с ней было тяжело и даже иногда мучительно. Но сейчас я благодарна ей, поскольку она сумела за короткий срок правильно поставить мне руки. Это помогло мне в Вагановском училище стать одной из лучших учениц по фортепиано. Свое пианино я очень любила, оно стало для меня почти живым. Даже когда я перестала брать уроки музыки, меня часто тянуло подойти к нему и что-нибудь сыграть в зависимости от настроения.

В семь лет, как и все дети, я пошла в общеобразовательную школу. До этого меня водили в детский сад, где с нами много занимались музыкой, пением, танцами и рисованием. Все это мне очень нравилось.

В нашей семье любили музыку, театр, живопись, архитектуру. Можно сказать, что я росла в обстановке поклонения всем видам искусства. Мама постоянно водила меня по нашему городу, в который была влюблена. И ее восхищение Санкт-Петербургом (тогда еще Ленинградом), его архитектурой передавалось мне. То же можно сказать и о музеях — Эрмитаже и Русском. В эти музеи родители начали брать меня с собой очень рано. Наверно, мне не было еще и трех лет. Мама вспоминает, что иногда после посещения музея я пыталась зарисовать что-то, что особенно мне понравилось. Например, часы «Павлин» и весь Павильонный зал Эрмитажа. Конечно, мой рисунок выглядел абстракцией и был совершенно непонятен. Но когда я стала его расшифровывать, называя предметы и показывая их расположение, то выяснилось, что я все запомнила верно. Были и другие случаи, когда я точно описывала все, что художник нарисовал на картине. Такое свойство моей памяти удивляло и восхищало моих близких. Что касается других способностей, проявившихся в раннем детстве, сошлюсь на мою крестную, которая любит рассказывать, как я в самом раннем детстве, рассматривая картинки в книжках, вдруг начинала комментировать их стихами собственного сочинения.

Родители собирались отдать меня в ближайшую английскую школу, но опоздали: там уже закончился прием учеников. Вот почему я оказалась в спортивной школе, расположенной рядом с домом. Каждый день по дороге на учебу и обратно я любила сочинять стихи. Их ритм рождался под стук моих каблучков, а потом возникали образы, которые складывались в четверостишия. Приходя домой, я рассказывала их маме или записывала на клочках бумаги.

В те годы стихи мучили меня постоянно, днем и ночью. Иногда, просыпаясь среди ночи, я спешила записать возникшие строчки прямо на обоях.

А в это время в спортивной школе из меня собирались вырастить чемпионку по легкой атлетике. Учитель физкультуры обнаружил особое строение мышц моих ног, которое предполагало необычайную выносливость и силу (наверное, именно в этом секрет моей способности к большим физическим нагрузкам). Однако перспектива стать спортсменкой меня совсем не радовала. Я мечтала только о балете.

С самого детства я всегда была плотно занята. И научилась все успевать. Со второго класса я перешла в английскую школу. Это была замечательная школа, но расположена она была далеко от дома. Мне приходилось вставать очень рано. На уроки я добиралась на автобусе более получаса. Зато в школе я чувствовала себя очень хорошо, у меня сразу появилось много друзей. Училась легко, и по всем предметам у меня были одни пятерки. Хорошее знание основ английского языка, которое я там получила, очень помогло мне в дальнейшем.

Я думаю, что своими успехами в школе по всем предметам я обязана не только очень хорошей природной памяти, но еще и одному важному качеству своего характера. Признаюсь, что с самого раннего детства я фанатично любила порядок и организованность во всем. Мне нравилось, чтобы в моей комнате все мои вещи, все игрушки были аккуратно и красиво расставлены. Мой маленький письменный стол был всегда образцом порядка: в его ящичках все предметы имели свое строго определенное место.

По утрам, собираясь в школу, я неизменно очень тщательно причёсывалась, добиваясь, чтобы волосы были уложены идеально. Мои школьные платья и переднички совсем не были похожи на ту унылую форму, которую продавали в магазинах. Не знаю, каким образом, но маме всегда удавалось купить или сшить для меня что-то изящное и красивое. Кружевные воротнички и манжеты на моих платьях всегда были ослепительно белоснежными. Мой утренний туалет занимал у меня немало времени, и поэтому я привыкла вставать раньше всех в семье (хотя вставать рано для меня и сегодня целое испытание!).

Уже с вечера я собирала портфель, стараясь ничего не забыть и всё сложить аккуратно. Кроме портфеля я должна была брать в школу сменную обувь. В качестве такой обуви мне были куплены хорошенькие босоножки. И вот из-за них и произошла история, настолько мне не свойственная, что я до сих пор не могу её забыть.

Чтобы не опоздать в школу, я всегда выходила заранее (зимой — ещё затемно), зная расписание автобуса. Конечно, я очень хотела спать и часто, сидя в автобусе, начинала дремать. И вот однажды, придя в школу, я обнаружила, что где-то оставила мешочек со сменной обувью. На другой день водитель автобуса узнал меня. Поскольку в этом автобусе я путешествовала каждый день в одно и то же время, да и ещё на одном и том же переднем сиденье, то примелькалась ему. Он спросил, не мой ли это мешочек. И тут мне стало так неловко за свою оплошность, что я не решилась признаться, хотя мне очень нравились те босоножки.

17

Что же касается моей любви к порядку и организованности, то они остались со мной и помогают всю мою жизнь. Мне кажется, что без этих качеств очень трудно достигнуть чего-либо в моей профессии. Ведь приходится ценить каждую минуту репетиционного времени, чтобы использовать ее как можно более эффективно. А умение быть собранной и организованной перед выходом на сцену — залог успешного выступления.

Я уже писала, что в хореографическое училище принимали с десяти лет, и первый балетный класс соответствовал четвертому общеобразовательному. А пока я училась еще в третьем классе английской школы, то стала посещать занятия в подготовительном классе Вагановского училища.

От школы до училища путь был неблизкий — требовалось проехать полгорода. Но для меня это не имело значения. Я с нетерпением и волнением ожидала встречи с миром моей мечты. Иногда я приезжала за два-три часа до начала занятий.

С благоговением я входила в здание на улице Зодчего Росси. С восхищением и завистью смотрела на юных балерин с их гладкими головками, украшенными кичками, и особой, «выворотной» походкой. Мне очень хотелось чувствовать свою причастность к этому миру. Совершенно волшебным и необыкновенным таинством казалось мне все, что я могла увидеть через приоткрытые двери балетных классов и репетиционных залов. Затаив дыхание, я следила за учениками, трудившимися над экзерсисом или репетировавшими в этих залах. Иногда мне приходилось даже подглядывать в замочную скважину. Застекленные окна в перегородках, отделяющих эти помещения от коридора, были покрыты краской. К моему огорчению, стекла были закрашены изнутри, чтобы такие, как я, не могли процарапать в них окошко для подглядывания. Однако мое желание видеть завораживающее действо, происходящее за этими закрашенными стеклами, было так велико, что вскоре я кое-что придумала. Иногда после занятий мне удавалось пробраться в опустевшие зальи, и тогда я с помощью монетки процарапывала маленькую щелочку в краске. Таким образом я подготавливала себе на следующий день своего рода «зрительское место». Я была очень горда своим изобретением и могла наслаждаться им в полной мере. Какой это был восторг! Огромное восхищение вызывали у меня тогда уроки характерного танца, которые вела замечательный педагог с замечательной фамилией — Строгая. Впоследствии она преподавала и в моем классе.

Однако занятия в подготовительном классе не могли приблизить мою мечту. Сейчас я понимаю, насколько эти занятия были бесполезны. Мне не известен ни один случай (кроме моего), чтобы кто-нибудь из посещавших этот класс закончил Вагановское училище.

Вступительные экзамены в школу при Вагановском училище сейчас вспоминаются как короткая остановка сердца. Тот день, когда мама привела меня на отборочный тур, навсегда врезался в мою память и потряс мою душу. Страшное волнение не позволяло мне четко видеть лица прославленных педагогов, от которых зависела моя судьба. Да я в то время и не знала никого из них. И осознавала лишь то, что меня просят выполнить какие-то упражнения. Никогда прежде мне не приходилось их делать. Я плохо понимала, что от меня требуется, и с ужасом в душе чувствовала: у меня ничего не получается... Но как же я старалась! В тот момент решалась моя судьба.

— Нет данных, — услышала я.

— Нет, не годится. Посмотрите — выворотности никакой, растяжки — тоже.

— Гибкости тоже маловато, да и прыжок...

Моим родителям безапелляционно заявили, что да, танец девочка показала неплохо и телосложение подходит для балета, но дело в том, что... нет никаких способностей для балета. Тогда я впервые услышала, что у меня нет тех физических данных, которые необходимы балерине, что эти данные, конечно, можно развить, но для этого требуется очень много времени и серьезная кропотливая работа. Мне было отказано в поступлении.

Педагоги смотрят на меня скучными холодными глазами. Они уже все решили. Как можно вот так, с тяжелой рукой и легким сердцем, решать человеческую судьбу и лишать его надежды? Мне тогда казалось, что я просто умру на месте. Это была настоящая трагедия. Но смириться с приговором комиссии я не могла. Я стояла окаменевшая в коридоре и твердила одно: «Отсюда я выйду только балериной». Мои

20

глаза были полны слез, поэтому я не сразу разглядела человека, приближающегося ко мне. Это был очень красивый седой мужчина. Я залюбовалась его благородной осанкой и гордо посаженной головой. Подойдя ко мне, он наклонился и спросил с участием, почему я плачу. В ответ я разрыдалась и начала быстро-быстро говорить, как я мечтаю танцевать и как я хочу здесь учиться.

Тогда этот человек взял меня за руку и завел обратно в экзаменационный класс. Он предложил комиссии посмотреть меня еще раз в каком-нибудь танце. Кто-то из педагогов попросил меня станцевать польку. Тогда я не знала, что это за танец. В подготовительном классе Вагановки мы польку не учили, но, услышав музыку, я начала танцевать, импровизируя, выражая движениями то, что слышала в музыке. Именно тогда я впервые мысленно произнесла молитву: «Боженька, миленький, помоги!»

Конечно, эти слова больше напоминали мольбу и обращены были скорее к никому не видимой фее, к сказочному персонажу, который может сотворить волшебство в жизни. Я считала, что будет совершенной и окончательной несправедливостью, если меня не примут в балетную школу,— ведь я хочу этого больше всего на свете! И произошло чудо. Музыка отзвучала, я остановилась и услышала голос моего спасителя: «Давайте пересмотрим вопрос о возможности обучения этой девочки, давайте позволим ей учиться, мне кажется, в ней что-то есть». Так мне был дан шанс! Пусть очень-очень маленький, но все же...

Мне было позволено доказать самой себе, что все данные, которых у меня не оказалось, я смогу выработать и проявить в течение года занятий.

Человеком, поверившим в меня, оказался художественный руководитель Вагановского училища, прославленный танцовщик Константин Михайлович Сергеев.

Комиссия приняла решение: Волочкову принять условно. Это означало, что меня могли отчислить при получении первой же двойки.

Объясняя моей маме причину, по которой меня приняли, невзирая на отсутствие многих физических данных, необходимых балерине, Константин Михайлович сказал, что большую роль сыграли мои внешние данные (отличные пропорции), но главное, он увидел в моих танцевальных движениях одухотворенность, а в глазах — горячее, страстное желание учиться. На самом деле, по тому, как дети танцуют, можно определить, почему они танцуют: просто из желания подвигаться или потому что танец живет в их душе. Важно не внешнее, а именно внутреннее — эмоциональное и творческое движение.

Наверное, в тот момент еще неосознанно, на детском уровне, я начала делить людей на тех, кто хорошо или плохо ко мне относится, и на тех, кто в меня верит! То есть я, конечно, не могла тогда именно так сформулировать, но быстро научилась дорожить людьми, которые в меня верили. Такими, как Константин Сергеев, ведь он меня фактически предугадал. Такими, как Наталия Михайловна Дудинская, супруга Константина Михайловича, ставшая позднее моим педагогом (с которой он, кстати, посоветовался при принятии того важного для меня решения). Сначала она поддержала его идею оставить меня на испытательный срок... А позже, после окончания средних классов взяла меня на свой курс обучения уже как ученицу, получившую на экзамене... высший бал!

Услышав, что меня приняли, пусть даже условно, я испытала невероятное счастье. Хотя как дамоклов меч надо мною висел документ, подписанный моими родителями, в котором говорилось о том, что, если за год я не смогу подтвердить результатами свое право учиться в балетной школе, они заберут меня по собственному желанию и без каких-либо претензий. И в то же время этот дамоклов меч заставлял меня работать так много и упорно, как не приходилось ни одной из моих одноклассниц.

Вообще, первый год учебы для меня был самым сложным. И физически, и психологически.

Сейчас, когда я вспоминаю эти самые трудные времена моей учебы в хореографическом училище, я думаю, что должна быть благодарна судьбе за все испытания, которые мне приходилось тогда преодолевать. Они закалили мой характер. Развили завидную трудоспособность. Научили правильно распределять свое время и ценить каждую минуту занятий с педагогами. Эти испытания дали мне возможность поверить в свои силы, в то, что я всего могу добиться своим трудом. И еще я научилась ценить тех людей, которые были добры ко мне и готовы были мне помочь.

Практически каждый день я слышала от своего педагога фразу: «Настя, ты никогда не будешь балериной. Поэтому стой здесь, сзади, все равно у тебя ничего не получится». Она пророчила мне судьбу инженера, врача, учителя — кого угодно, только не балерины. А мне так хотелось стать именно БАЛЕРИНОЙ!

С самого начала учебного года эта учительница ждала моего отчисления. Она с удивительной, садистской настойчивостью пыталась развить во мне комплекс «гадкого утенка», всячески унижая меня и стремясь уничтожить мою веру в себя. Она даже не позволяла мне участвовать в так называемой «сценической практике», где учащиеся младших классов выходили на сцену театра в образах разных зверюшек или каких-нибудь сказочных существ. Это делалось для того, что приучать детей к сцене. Но моя педагог, видимо, считала, что мне это не приходится.

Каждый день она повторяла, что я никогда не стану балериной. Но ей не удавалось разрушить мою Веру. Каждое утро я бежала на кухню, где висела икона Спасителя. Я горячо молилась перед этой иконой и просила о помощи в том труде, который казался мне непосильным. До сих пор удивляюсь, как я смогла перенести этот постоянный психологический прессинг. Сколько слез было пролито от обиды и отчаяния! Но моя вера помогала мне не сдаваться, преодолевать себя и в скрупулезном ежедневном труде приобретать те необходимые физические данные, которых изначально у меня не было.

И хотя моя учительница старалась побольнее обидеть меня, я видела, что мои одноклассники относятся ко мне с искренним сочувствием и любовью.

Для домашних занятий мне отвели удобное место, площадью примерно в два квадратных метра, обычно там располагались кресло и журнальный столик, которые ежевечерне отодвигались, чтобы появлялось свободное пространство. Там установили импровизированный станок. У этой балетной палки я проводила много времени, повторяя экзерсисы. Мне приходилось засовывать ножки под диван или батарею и стараться их как-то выгибать, вытягивать колени, разворачивать стопы. Это было ужасно больно, потому что кости и мышцы уже сформировались, и приходилось буквально их разрывать. Но ради своей цели я готова была все стерпеть. Даже веселые крики детей во дворе нашего дома не соблазняли меня выйти и поиграть с ними. Уже тогда у меня сложился девиз: «Я должна работать сейчас без остановки и выходных, а отдохнуть можно будет потом, когда добьюсь желаемых результатов». Получилось, что это «потом» по-прежнему не наступило в моей жизни. Не могу сказать, что сильно расстраиваюсь из-за этого.

Обучение в балетной школе начиналось в половине девятого утра и продолжалось до шести вечера, специальные предметы были совмещены с общеобразовательными. По всем общеобразовательным предметам я была отличницей. Учеба давалась мне легко благодаря моей хорошей памяти. Мне доставалось точно было прочесть текст один раз на перемене, чтобы получить на уроке пятерку. Но по основному предмету — классическому танцу — мне постоянно угрожали двойка и отчисление. И тогда мои родители нашли для меня частного педагога. В то время дополнительные занятия не только не поощрялись, но и считались чем-то компрометирующим систему обучения в училище. Исключением были дети балетных артистов, которые имели право заниматься дополнительно со своими родителями сколько угодно. Я видела результаты и очень им завидовала.

Я долго не рассказывала о человеке, который действительно заложил тот прочный фундамент истинно петербургской вагановской школы, позволивший мне стать балериной, и теперь я хочу написать об этом высококлассном педагоге.

Эльвира Валентиновна Кокорина была одной из последних учениц самой Агриппины Яковлевны Вагановой. Всю свою балетную жизнь Кокорина прослужила в Мариинском театре, будучи солисткой его труппы. В те годы, когда мы с ней познакомились, она работала педагогом Вагановского училища.

Эльвира Валентиновна поверила в меня сразу. Мы начали работать с одержимостью и самозабвением. У нас была общая цель. Я стремилась доказать, что могу стать достойной ученицей прославленного училища. А для Эльвиры Валентиновны, наверное, было увлекательным делом превратить «гадкого утенка» в прекрасного лебедя. Ее уроки стали для меня настоящим откровением. Она делала то, что должны были делать педагоги училища: всю самую мелкую, самую скрупулезную работу, выправляя каждый пальчик на руках, объясняя значение каждой мышцы.

Я вспоминаю, как тяжело мне было преодолевать накопленную за день усталость, чтобы почувствовать «второе дыхание» для домашней работы. Ведь этим ежевечерним занятиям предшествовал целый день в балетном училище. Дорога домой занимала много времени. Нередко я засыпала в метро или автобусе, проезжая нужную остановку.

Уроки Эльвиры Валентиновны были важны для меня еще и тем, что во время этих уроков происходило общение с очень образованным и интеллигентным человеком. Несмотря на всю строгость и требовательность моего педагога, я всегда с нетерпением ждала наших занятий. Каждый день, каждый час Эльвира Валентиновна настойчиво искореняла во мне комплекс «гадкого утёнка». Она заставляла меня почувствовать себя и принцессой, и феей, и прекрасным лебедем. Я воспринимала эти уроки как праздник, как высокую поэзию. И отвечала на них своими детскими наивными стихами, полными любви и благодарности.

Эльвира Валентиновна согласилась заниматься со мной на свой страх и риск. Считалось, что частный педагог «отбирает хлеб» у официального преподавателя, хотя, конечно, этот запрет, по большому счету, не имел никакого смысла: лавры все равно доставались только учителю, которого дало тебе государство. Так вот, на самом деле, конечно, именно Эльвире Валентиновне Кокориной я обязана всеми своими первыми успехами. И не только ими. Эльвира Валентиновна поддерживала во мне веру. Она первая начала рассказывать о том, что многие великие танцовщики испытывали подобные трудности в начале своей карьеры. Говорила, что великими не рождаются, а становятся. И если я найду в себе силы преодолеть первые трудности и не буду обращать внимания на колкие слова и обидное поведение официального педагога, в дальнейшем обязательно одержу победу и изменю несправедливое мнение о себе. «Настя! — говорила Эльвира Валентиновна.— Поверь, многие еще будут гордиться тем, что учили тебя или учились вместе с тобой!»

Дополнительные занятия начинались поздно вечером, и каждое мое движение отражалось в оконном стекле. Но стоило мне начать выполнять те же упражнения с другой ноги, как я оказывалась спиной к окну и уже не могла видеть своего отражения. Приходилось полагаться на внутреннее чутье.

Настоящим праздником стал момент, когда родители смогли накопить денег, достаточных для приобретения большого зеркала: пространство, на котором проходили занятия, качественно изменилось и казалось мне настоящим балетным залом или даже балетной студией, которой я очень гордилась и дорожила.

В череде каждодневных занятий минул первый класс. Оценка «три условно» позволила мне перейти во второй. Так моя первая цель — остаться в Вагановской школе — была достигнута. Первая планка. Первая высота! В прямом и переносном смысле. Дело в том, что моя учеба до отборочных курсов была связана именно с высотой балетной палки. И я настолько хорошо помню себя в постоянной работе и эту балетную палку у нас дома, которая по мере моего роста с каждым годом поднималась все выше! А результаты становились все лучше.

На экзамене по классическому танцу за третий класс я уже получила четверку с плюсом — самый высокий балл в нашем классе. Нужно ли говорить, какая это была огромная победа! Моя и Эльвиры Валентиновны. К тому же этот экзамен был еще и отбором в средние классы. Возглавлял комиссию, как обычно, Константин Сергеев. Меня переполняла гордость от сознания, что я не подвела Константина Михайловича, поверившего в меня. И я была безмерно счастлива.

Однако уже на следующий день меня ожидало сильное потрясение. Неожиданно оказалось, что я потеряла всех своих подруг. Все отвернулись от меня. Ни одна из них не захотела даже поздороваться. Мне был объявлен бойкот. Тогда я страшно переживала. Я не могла понять, в чем моя вина. А дело было в том, что вмиг вместо слабой, готовой к отчислению ученицы я превратилась для них в серьезную соперницу. Это был первый жизненный урок: коллеги не могут простить успех даже в таком юном возрасте.

В ужасном отчаянии я бросилась домой к своему верному и надежному другу — маме. Она всегда могла не только успокоить и утешить меня, но как-то очень просто и ясно все мне объяснить. И в тот момент мама спросила меня: «Чего бы ты хотела больше: быть всеми любимой в классе, но самой слабой и безнадежной в учебе или стать лучшей ученицей этого класса, но потерять своих подруг? И потом, разве можно называть друзьями тех, кто не в состоянии пережить твой успех, не может порадоваться вместе с тобой?»

Эти слова все расставили по своим местам.

Здесь мне хочется рассказать об одном трогательном моменте, связанном с моей мамой.

Тогда в нашей стране был дефицит во всем, даже наши балетные купальники трудно было найти в магазинах. Моя мама покупала в Эстонии маечки из очень хорошего трикотажа и потом вручную перешивала их в балетные купальники. И надо сказать, что они у нее получались как-то очень «фирменно» и красиво. Мне казалось, что у меня лучшие на свете купальники. Эти воспоминания касаются моих младших классов.

В средних классах (четвертый и пятый) я уже училась у Зинаиды Сергеевны Петровской. Она была прекрасным педагогом и очень добрым, заботливым человеком. С Зинаидой Сергеевной у меня сложились очень теплые отношения. Я очень благодарна ей за два самых спокойных года в училище. Эти годы позволили мне обрести уверенность в себе и накопить силы для подъема на следующую ступень.

В качестве производственной практики меня сразу же заняли в первом в моей жизни «взрослом» спектакле — «Щелкунчике». Я исполняла роль Луизы, сестры Мари, впервые танцевала на сцене Мариинского театра. Тогда ко мне вернулось совсем юное воспоминание, только на этот раз я уже ощущала себя приобщенной к возникающему на сцене Волшебству. И еще я испытала новое для себя ощущение, когда на тебя все смотрят с восхищением, как на Королеву. И это действительно упоительно. Хотелось, чтобы зрительский взгляд задерживался на мне как можно дольше. Пожалуй, в тот момент, когда я впервые вышла на сцену Мариинского театра, появилась уже взрослая, осознанная цель — стремиться к самым большим высотам. И я понимала, что первые шаги сделаны, у меня уже есть от чего отталкиваться, есть надежда и возможность достичь самой высокой ступени.

Оценка «отлично» по классическому танцу — нечто заоблачное, самая заветная мечта воспитанницы балетного училища. Я ощущала ее как свою огромную победу и как великую заслугу моей дорогой Зинаиды Сергеевны. За этой победой последовала и награда. Меня взяла в свой класс величайшая балерина XX века, легендарная Наталия Михайловна Дудинская.

Работа с Наталией Михайловной и общение с ней стали для меня не только школой балетного мастер-

30

ства, но и школой жизни. Она воспитывала в нас ту же беззаветную преданность балетному искусству, какой требовала от своих учениц Агриппина Ваганова.

Моя одержимость и способность работать в полную силу, не жалея себя, импонировали Наталии Михайловне. Я чувствовала ее особое внимание к себе и дорожила ее доверием.

Дудинская была очень требовательным и строгим педагогом. Известно, что ее уроки и те упражнения, которые она нам задавала, опережали школьную программу по своей сложности. Мне было необходимо прийти за час до урока Наталии Михайловны, чтобы подготовить свое тело к серьезной работе. Эта потребность «разогреваться» осталась у меня до сих пор.

Я считаю себя благодарным человеком. И для меня были бесценны доверие Дудинской, ее вера в мои силы. Я считала, что должна, обязана, еще больше работать, чтобы оправдать такое доверие.

А вот на уроках дуэтного танца, которые вел Владимир Сергеевич Десницкий, очень хороший педагог и друг Дудинской, я узнала маленькие хитрости работы с партнером, где все зависит от приема и подачи балерины. Как следует оттолкнуться, взлететь и держать тело в напряжении, в компактной позиции, чтобы партнер практически не чувствовал твоего веса. Кстати, еще и поэтому мне впоследствии были смешны и обидны кривотолки о моих якобы неподходящих для классического балета параметрах. Смешно было слышать подобные слова от профессионалов балета, которые как никто разбираются в тонкостях происходящего на сцене. Обидно

же было за человеческое лицемерие, создающее у не-
посвященных ложные впечатления о том, кто и как
имеет право танцевать в балете. Собственно говоря,
теперь это уже неважно...

А еще, конечно, вспоминается переход с мягких
балетных тапочек на пуанты. Маленькие балерины
начинают привыкать к пуантам со второго полуго-
дия первого класса. И последствия новых занятий —
стертые в кровь пальчики и намятые ножки. На первом уроке нас учили, как правильно пришить ленточки к пуантам, как правильно размять балетную
туфельку и стельку, как разбить молоточком половину пуанта, чтобы сделать его более эластичным и
подходящим к ножке.

Каждая балерина приспосабливает пуанты по
своей ножке. Иногда подрезается пяточка, точнее,
шов на ней, для того чтобы пуантик более глубоко
сел и охватывал стопу. Зачастую для девочек, у которых слишком большой подъем (чего не было у меня), делают специальные перетяжки линии подъема
ниточками. Это отчасти похоже на шнуровку на
кроссовках, только делается она с помощью толстых
ниток. В нынешнее время уже можно купить специальные подкладки для пуантов американского и английского производства из силикона или геля.
А раньше для того, чтобы хоть немножко смягчить
трение, мы подкладывали в пуанты вату или поли-
этиленовый мешочек, сложенный в несколько раз.
Не могу сказать, что это помогало, — пальцы все
равно сбивались в кровь, тем не менее, осознание того, что я могу стоять на пуантах, вызывало в моей
душе такое вдохновение, такой энтузиазм, что я
очень быстро привыкла не обращать внимания на

боль. Даже наоборот, при виде проступившей сквозь пуанты крови меня охватывала какая-то необыкновенная гордость и ощущение абсолютной преданности искусству балета.

Уже в детстве я научилась выкладываться, то есть работать до ощущения удовлетворения собой, когда можешь с легкой душой сказать: «Я сделала все, что могла». У меня не было привычки увиливать от нагрузок и лениться, делать экзерсис вполсилы. Первые трудности пошли впрок, они сделали меня, можно сказать, маленьким самоотверженным трудоголиком.

Первые мои пуанты, которые нам выдали в школе, были сшиты в мастерских Мариинского театра и снашивались чрезвычайно быстро. Для того чтобы хоть немного продлить их жизнь, я заливала их специальным эпоксидным клеем. К тому же тогда в Вагановском училище не существовало специального балетного покрытия, мы занимались на обыкновенном деревянном полу, натертом канифолью, что, конечно, не способствовало сохранности балетных туфелек.

Здорово выручали друзья нашей семьи, артисты Мариинского театра — позже, во втором и третьем классах, содействовали в покупке пуантов у балерин театра. Они, по-моему, тогда стоили три рубля. Для меня эти пуанты-пуантики были просто на вес золота. Я запоминала фамилии балерин, которые значились на стельках их балетных туфелек. Когда я уже танцевала в Мариинском театре, мне показались знакомыми имена балерин из кордебалета, и позже я связывала их имена с этими пуантами времен Вагановского училища.

33

Кстати, замечательно рассказывала Наталия Михайловна Дудинская о значении и особенностях сценического костюма, а главное — о балетной обуви. Она учила нас, что к своим пуантам балерина должна относиться так же благоговейно, как музыкант — к своему инструменту. Но, к сожалению, срок служ- бы пуантов — несравнимо короче.

Из жизненных уроков Наталии Михайловны я усвоила главное: балерина всегда должна быть в форме и готова к выходу на сцену в любую минуту. Дудинская не признавала никаких обстоятельств и причин, которые могли бы препятствовать этому. Болезни для нее не существовали. Она объясняла нам, что балерина всегда должна быть здорова. Сама Наталия Михайловна, будучи в преклонном возрасте, после только что перенесенной операции, на мой вопрос «Как вы себя чувствуете?» обиженно от- вечала: «Ты почему меня об этом спрашиваешь? Я что, больная?!» Она учила нас, что в жизни балери- ны может наступить полоса, когда ее не будут зани- мать в репертуаре. К этому надо быть готовой и про- должать жить и работать так, как будто завтра (а не через год) у тебя спектакль. Этот урок требует воспита- ния в себе большого мужества и выдержки. И навеки благодарна своему Педагогу, которая, как настоящий психолог, подготовила меня к неизбежным превратно- стям актерской судьбы.

Занимаясь в классе Дудинской, я продолжала брать дополнительные уроки. Как я уже говорила, такая практика строго осуждалась, и поэтому мне приходи- лось репетировать тайком во Дворце культуры им. Первой Пятилетки, который теперь разрушен из- за строительства второй сцены Мариинки.

В связи с этим вспоминается один курьезный случай. Я только что сдала реферат по истории на тему «Первые советские пятилетки» и шла по коридору Академии. Вдруг навстречу мне выходит Наталия Михайловна и рассерженно спрашивает меня: «А что это было в первой пятилетке?» Я совершенно растерялась, не понимая сути вопроса, и стала, запинаясь, вспоминать свой реферат: «Индустриализация, коллективизация...» — на что Наталия Михайловна возмутилась еще больше: «Ты что, смеешься надо мной? Я спрашиваю, что ты делала во Дворце Первой Пятилетки?» Тут я поняла, что всегда и везде найдется «добрый» человек, готовый вовремя донести на меня.

Надо сказать, что благодаря отходчивости Наталии Михайловны эта история закончилась благополучно.

Однако бывало иначе. С приближением выпуска из Академии я все сильнее ощущала, что вокруг меня плетутся какие-то интриги. Например, во время видеосъемок школьных концертов почему-то всегда на моем выступлении якобы заканчивалась пленка. Поскольку это происходило с завидным постоянством, я поняла, что кто-то заинтересован, чтобы в школе не осталось обо мне и следа. Хорошо, что сохранились любительские съемки. В отсутствие Наталии Михайловны, которая часто выезжала в другие страны для постановки балетных спектаклей, надо мной всегда сгущались тучи. Вплоть до того, что делались попытки исключить меня из Академии. Но поскольку придраться к моей успеваемости ни по профессиональным предметам, ни по общеобразовательным было невозможно, то раздувались коварным образом мелочи дисциплинарного порядка.

35

Самое печальное во всем этом было то, что интрига затевалась взрослыми, а выполнялась детскими руками.

Однажды я была на грани отчисления, когда в моем шкафчике при проверке были обнаружены сигареты и карты. Я спокойно открыла свой шкафчик, совершенно уверенная, что там нет ничего предосудительного. Я никогда не курила, и это все знали. Но некоторые из моих одноклассниц курили перед контрольным взвешиванием, поскольку считалось, что курение помогает сбросить вес. И вот они-то и положили ко мне свои сигареты, полагая, что я вне подозрений. Что касается карт, то они нам были нужны «погадать на короля». Это невинное развлечение не имело ничего общего с карточной игрой. Тем не менее мне были приписаны и курение, и азартные игры.

Другой случай закончился приказом об отчислении меня из Академии. На каникулах после первого семестра группа старшеклассников отдыхала в пансионате в Комарово. Я была среди них. В день моего шестнадцатилетия ко мне приехали папа с мамой и привезли всякие лакомства, фрукты и бутылку шампанского. Мы собрались все вместе, человек пятнадцать, чтобы отпраздновать мой день рождения. После отъезда родителей неожиданно нагрянула проверка из Академии. В моем номере нашли бутылку из-под шампанского, а на галерее под моим окном в снегу вообще обнаружилось несколько пустых винных бутылок. Как выяснилось, мальчики из выпускного класса сложили их там, надеясь, что на меня, отличницу, никто не подумает. Сначала эта ситуация показалась нам очень забавной, и мы посмеялись. Но, вернувшись после каникул, я обнаружила на доске объявлений приказ о моем отчислении.

Моей маме нетрудно было доказать ректору Академии Леониду Надирову абсурдность этого обвинения. Приказ был отменен. Тут же маме дали понять, откуда взялась эта интрига: одна из преподавательниц нашей школы таким способом «расчищала» путь для своей дочери, моей одноклассницы. Всем было очевидно, что Дудинская делает на меня серьезную ставку.

Меня уже замечали профессионалы и выделяли балетные критики на наших выступлениях и в Петербурге, и за границей. На гастролях Академии балета в Японии ко мне было особенно пристальное внимание. Японское телевидение сняло документальный фильм, где меня представляли как будущую звезду русского балета. Очень благожелательные отзывы появились в печати на мои выступления на гастролях в Норвегии, Греции и в Арабских Эмиратах.

Иногда уроки Наталии Михайловны продолжались уже в домашней обстановке, куда меня часто приглашали. Я очень любила бывать на Малой Морской в ее квартире, которая была похожа на музей. Мои посещения этого дома стали чаще после смерти Константина Михайловича Сергеева, когда Наталия Михайловна так нуждалась в моральной поддержке. Мой папа, видя растерянность и беспомощность Наталии Михайловны в эти горестные дни, взял на себя заботу заказать крест на могилу Константина Михайловича.

Второй год моего обучения в классе Дудинской совпал с ее юбилеем. Восьмидесятилетие Наталии

37

Михайловны отмечалось осенью 1992 года очень широко и торжественно в Мариинском и Большом театрах. Мой дебют состоялся на сцене Большого театра. Мне была доверена главная роль в балете «Пахита». Я считаю знаменательным тот факт, что именно мой Педагог Наталия Михайловна Дудинская вывела меня на эту прославленную сцену. Именно там, в юбилейном спектакле, меня заметил директор и художественный руководитель Мариинского театра Олег Михайлович Виноградов. И по возвращении в Петербург сделал предложение стать солисткой Мариинского театра и в качестве дебюта танцевать главную партию в балете «Лебединое озеро». И это в семнадцать лет! Начать свою «взрослую» карьеру еще до окончания Вагановской балетной Академии. В первый момент предложение показалось мне совершенно абсурдным и невозможным. К тому же это вообще был и есть первый такой случай в истории и театра, и самого балета. Но отказаться... От таких предложений не отказываются, потому что о них мечтает каждая балерина.

Обо всем этом Наталия Михайловна рассказала мне, пригласив к себе домой. Она поделилась со мной своими планами о моем будущем, перечислила несколько очень интересных партий, которые собиралась готовить со мной на третьем курсе. По словам Наталии Михайловны, меня ожидал блестящий выпуск, который безусловно гарантирует мне поступление в Мариинский театр. Было решено, что я не принимаю предложения Виноградова.

Однако новый учебный год начался с того, что Дудинская надолго уехала в Америку для постановки спектакля. Как всегда в таких случаях, ее замещала мама моей одноклассницы. На уроках этого педагога я в основном сидела на скамейке. Она объясняла мне: «Настя, ты уже все это умеешь делать, помни, посиди и отдохни. Пусть другие научатся». Так продолжалось из урока в урок, и я поняла, что скоро забуду все, чему меня учили. А в это время Виноградов уже обсуждал свое предложение о приеме меня в Мариинский театр с ректором Академии Надировым. Одновременно он очень настойчиво пытался убедить моих родителей в необходимости этого шага именно сейчас, а не через год, когда я закончу Академию.

С первого взгляда, предложение быть зачисленной в труппу Мариинского театра еще до окончания балетной школы выглядело чрезвычайно заманчивым. Но оставался очень болезненный вопрос: как отнесется к этому Наталия Михайловна? Я очень ее любила и боялась огорчить.

Видя наши колебания, Надиров самым решительным образом уверил меня и моих родителей, что объяснение с Дудинской он берет на себя и не сомневается, что ему удастся все уладить. Главное же, что подкупило нас, это обещание ректора, что в учебном процессе для меня не произойдет никаких изменений. Я останусь в своем классе и вместе со всеми буду заниматься по полной программе третьего курса, включая общеобразовательные и специальные предметы.

Что касается стажировки в Мариинском театре, то оба руководителя единодушно уверили меня, что я смогу совместить ее с учебой в Академии и что новая большая творческая и физическая нагрузка будет мне только на пользу.

Я поняла, что мою судьбу уже решили.

Но не зря меня и моих родителей не оставляло очень сильное беспокойство. Когда Наталия Михайловна вернулась из Америки, состоялась ее беседа с ректором. В результате чего двери ее класса и ее дома для меня надолго закрылись — более чем на год. Мои попытки объясниться самой с Наталией Михайловной долго время не удавались. Но, слава богу, это мучительное для меня время прошло. Дудинская была мудрой женщиной и смогла сама разобраться во всем и понять меня.

В дальнейшем наши отношения снова стали очень близкими и теплыми. И оставались такими до самой кончины Наталии Михайловны. Все годы после нашего примирения я постоянно чувствовала ее активный интерес к моей жизни, как творческой, так и личной. Она почти всегда присутствовала на моих концертах в Петербурге и поддерживала меня во многих моих экспериментах. Удивительно, как у Наталии Михайловны сочетались любовь и преданность классике и явный интерес и симпатия ко всему новому в балетном искусстве.

В последние годы жизни Дудинской мне еще довелось с ней поработать. Она репетировала со мной спектакли «Лебединое озеро» и «Баядерка», которые я танцевала на ее восьмидесятипятилетнем юбилее. Кроме того, большой честью стало для меня приглашение в Японию, где она ставила балет «Жизель» с токийской труппой. Но об этом я расскажу позже.

Последний мой концерт, на котором присутствовала Наталия Михайловна, был организован мною в честь ее девяностолетия. Это была наша последняя встреча — уже через несколько месяцев я давала концерт в память о своем Педагоге.

Вспоминая Наталию Михайловну, я понимаю, какой бесценный подарок судьбы я получила в юности. И хочется привести слова академика Дмитрия Сергеевича Лихачева: «В каждой культуре должна быть аристократическая ее часть. И в этой великой части русской культуры Наталия Михайловна Дудинская, конечно, удивительным образом универсально воспроизводит весь дух русского балета».

Прежде чем закончить главу о моих детстве и юности, хочется сказать о том, какое мощное влияние на мою детскую душу оказали мой родной город и одно из его самых поэтичных мест — Летний сад. Моя мама была страстно влюблена в Петербург и учила меня видеть, восхищаться и наслаждаться его красотой. Наши прогулки по набережным и паркам были самым большим моим удовольствием с раннего детства.

Когда мама стала работать экскурсоводом в Летнем саду, для меня наступило совсем особенное, незабываемое время.

Сразу после занятий в балетном училище я бежала в Летний сад и иногда проводила там немало времени, ожидая, когда освободится мама. Надо сказать, что для меня это было не только приятным, но и очень полезным времяпровождением. Мне нравилось слушать рассказы экскурсоводов об истории Санкт-Петербурга и его культуре.

Конечно, самым замечательным экскурсоводом была моя мама. Я с гордостью наблюдала, что за ней всегда следует самая большая группа людей. Действительно, мама умела очень живо и образно вести свой рассказ, вкладывая в него все свое восхищение и любовь. К тому же мама необычайно красива какой-то светлой и одухотворенной красотой, и не зря постоянные посетители называли ее «нимфа Летнего сада».

Глядя на мою маму, я хотела быть на нее похожей. Так же увлекать и завораживать зрителей своим искусством. Ее пример, ее преданность любимому делу, конечно, во многом повлияли на меня.

Глава 2

«ЛЕБЕДИНОЕ ОЗЕРО»

Когда о каком-нибудь известном артисте говорят как о «везунчике», о том, что успех пришел к нему легко и просто,— не верьте. Если так и бывает, то чрезвычайно редко. Я могу согласиться с утверждением, что существуют люди, которым во всем сопутствует удача. Но понимаю и другое: этот, на первый взгляд, везучий человек вложил огромное количество своих физических и душевных сил, чтобы достигнуть высочайшей оценки судьбы. Удача и есть такая оценка. И только очень близкие и родные люди могут знать, чего она ему стоила.

В моей жизни случилось так, что любое событие, свершение, выступление в балете, любой успех приплось выстрадать. И в этом смысле «Лебединое озеро» для меня — балет знаковый и судьбоносный. Мало того что каждый раз он подхватывал меня на перепутье, в какие-то очень сложные жизненные моменты, мало того что я танцевала его в трех разных трактовках: Виноградова, Васильева, Григоровича,—

но еще и внутренняя суть спектакля — борьба между светлым и темным началом — каким-то магическим образом постоянно вторгалась в мою жизнь.

Так началась моя борьба с тенью.

С одной стороны — плотный график: с утра — в театр, на урок класса, затем — в балетное училище, чтобы изучать общеобразовательные предметы, а также дуэтный, характерный, историко-бытовой танцы и другие специальные предметы. Вечером я снова возвращалась в Мариинский театр, чтобы продолжить репетиции «Лебединого озера», а после них зачастую торопилась обратно в Академию, где уже репетировала свой школьный репертуар. Таким образом, в течение дня мне приходилось несколько раз переезжать из театра в Академию и обратно. Насколько естественнее и проще было бы для меня заниматься классом в самом училище! Но благодаря «стараниям» заинтересованных людей я не могла посещать уроки Дудинской.

С другой стороны — завистливые глаза и недоброжелательные лица.

Я очень благодарна маме, потому что она еще на первых порах осторожно подводила меня к этой проблеме — проблеме конкуренции. К тому, что придется столкнуться с негативными сторонами жизни. Она видела, что у меня очень светлое, в каком-то смысле наивное представление об окружающих. И не разубеждала его, но осторожно давала понять, что все-таки есть такие вещи, которые делают не странная уборщица или не негативно настроенный учитель, а те люди, от которых я совсем не могу ожидать зла. Собственно, я его и не должна ждать, но будет лучше, если я буду к нему готова.

Мама мне говорила:

— Ты выбрала очень сложную профессию, и, если ты хочешь жить высоким искусством, тебе придется сталкиваться с проявлениями человеческой низости.

Я была готова если не ко всему, то ко многому. Я поняла, что зависть — это месть за успех. Понимала я, что и в Мариинском театре есть свои подводные камни и течения, с которыми мне еще предстоит встретиться. Я знала, что придется и в дальнейшей жизни самой прокладывать себе путь работой и творчеством. И постоянно доказывать не только зрителю, но и себе, что я — на высоте! Это не значит обязательно лучше всех, а лучше себя самой.

В тот же год родители, видя, насколько тяжело мне даются переезды из одного района города в другой, когда я часто, засыпая от усталости, проезжала свою станцию метро, решили продать гараж и нашу двухкомнатную квартиру в Выборгском районе и купить однокомнатную в центре, недалеко от театра. Уже были подписаны документы, квартира — продана, как вдруг оказалось, что люди, которые этим занимались, просто сбежали. Так наша семья осталась и без жилья, и без денег. И я очень хорошо помню, как весь год подготовки к премьере и одновременно к госэкзамену проходил в переездах с одной съемной квартиры на другую. Причем переезжали мы одной большой «цыганской» семьей: папа, мама, я, бабушка Аня без ноги, больная сахарным диабетом, кот Маркиз, питбультерьер Франтик, попугайчик и хомячок Васька. Тем не менее мы не унывали и держались очень дружно, в чем особая заслуга моей мамы. Она обо всех заботилась и всех спасала. Так получилось, что животных заводили мы с папой,

45

но забота о них ложилась на мамины плечи. Папа часто уезжал на сборы и соревнования, а я постоянно была занята учебой. Когда наши питомцы болели, то выхаживала их именно мама. Она даже научилась сама делать уколы. Мама всегда становилась опорой в самых трудных и, казалось бы, безнадежных ситуациях в жизни нашей семьи.

Мама же воспитала меня верующим человеком, помогла осознать, насколько важное место вера занимает в жизни. Когда умерла бабушка Аня, мамина мама, я поняла, что существует какая-то связь между ушедшими людьми и живыми. Точнее, вера помогла мне это понять. Я до сих пор чувствую, что бабушка, точно ангел-хранитель, незримо поддерживает меня в тяжелые минуты, иногда я даже мысленно с ней разговариваю. Ведь те, кого любишь, навсегда остаются с тобой, в твоем сердце.

Подготовка к «Лебединому озеру» была в полном разгаре. Мне, как, впрочем, и всем начинающим балеринам, хотелось дебютировать с опытным танцовщиком и хорошим партнером. Но, как ни странно, все они оказались заняты в спектаклях с Юлией Махалиной, той самой Примой, которая могла диктовать свои условия руководству балетной труппы Мариинского театра. Она проявляла ко мне повышенный интерес. Пользуясь своим влиянием, Юлия начала отодвигать мой дебют, стремясь перенести его на следующий сезон.

Она запретила шить для меня в мастерских театра и предложила выдать мне из костюмерной чью-нибудь старую балетную пачку. Это противоречило правилам Мариинского театра, где всегда для дебютантки специально шили новый костюм.

Конечно, мне было очень обидно и больно видеть эти козни. Тем более что я вынуждена была разочаровываться в балерине, которой привыкла восхищаться на сцене. Мне на помощь, как всегда, пришла моя мама. Она сумела вернуть мое утраченное душевное равновесие. Очень умно и тактично мама постаралась объяснить мне поступки моих недоброжелателей, не оскорбляя и не унижая этих людей. Это были бесценные уроки доброты, понимания и прощения!

Мои родители не допускали мысли, что мне придется дебютировать в чьем-то старом костюме. Было решено шить пачки за свой счет. После потери квартиры у нас совсем не было денег. Но были друзья. Они стали помогать нам кто чем мог. Олег Михайлович Виноградов посодействовал приобретению материала на обе пачки, белую и черную. В те годы такой тюль привозили из-за границы, в наших магазинах он не продавался. Мой педагог, Наталия Георгиевна Слицына, принесла нам туфли, богато расшитые разноцветными камушками. Эти камни были срезаны и украсили мою черную пачку. Мамины подруги приносили нитки бус и старинные боа для украшения балетных пачек. Неоценимый вклад в создание «лебединого» костюма внес мой папа. Он добыл воздушные гагажьи перышки. Из всего этого были созданы настоящие костюмы белого и черного лебедя. Я храню их по сей день как великую ценность! И, кстати, впоследствии этот опыт самостоятельного творчества мне очень пригодился, потому что именно тогда я поняла, что, проявив фантазию и изобретательность, полагаясь на свое чувство вкуса, можно даже незначительными аксессуарами существенно разнообразить и украсить театральный, да и любой костюм и в малом достичь многого, надеясь только на саму себя. Костюмы сшила лучшая театральная портниха Ира — человек с безупречным вкусом. У нее есть свой особый почерк, строгий петербургский стиль. Костюмы, созданные Ирой, невозможно спутать с костюмами других мастеров.

Мои пачки получились не только необычайно красивыми, но и очень удобными. Они превзошли все мои самые фантастические ожидания. К несчастью, наша прима-балерина сразу распознала стиль Иры. Стараниями Махалиной следующие несколько лет я не имела права шить у этой прекрасной портнихи. И только после ухода Иры из мастерских Мариинского театра я получила возможность танцевать в ее великолепных костюмах.

Наконец настал день премьеры в Мариинском театре. Экзаменационная комиссия расположилась в Царской ложе. В нее вошли мэтры балетного искусства: Олег Михайлович Виноградов — в то время художественный руководитель балета Мариинского театра, Игорь Бельский — художественный руководитель Академии русского балета им. Вагановой, Николай Боярчиков — известнейший хореограф, Сергей Викулов — художественный руководитель балета-театра им. Мусоргского, Аскольд Макаров — художественный руководитель Театра балета «Хореографические миниатюры», Инна Борисовна Зубковская — выдающаяся балерина, ставшая впоследствии моим педагогом и верным другом, Наталия Михайловна Дудинская, а также другие выдающиеся деятели балетного мира.

Я помню сильнейший, парализующий страх, от которого затекали и становились ватными ноги, перехватывало дыхание. От волнения уходили силы, и невозможно было сделать первый шаг. Стоя за кулисами и готовясь к выходу, я не переставала произносить молитвы, одну за другой. И так с молитвой я и «выплыла» на сцену. Мгновенно все мои страхи исчезли, я превратилась в Одетту и в танце начала проживать судьбу своей героини, забыв о себе. Появились раскованность и свобода, которая приходит ко мне только на сцене. Фуэте Одиллии я станцевала на одном дыхании.

Зрители наградили меня такими аплодисментами, что все мои сомнения рассеялись. Оценка строгого жюри была единогласной — «отлично».

Впервые в жизни меня одарили таким количеством цветов!

Вот первый успех, после которого на следующее утро, да, только на следующее утро, я почувствовала, что проснулась если не знаменитой, то настоящей победительницей. Накануне моего дебюта в Петербург приехали даже представители японского телевидения. Они считали, что меня ждет широкая и прямая дорога к Славе. Спасибо любителям балета в Японии за веру в меня и за их поддержку на протяжении всей моей жизни.

Однако моя творческая судьба сложилась совсем не так просто и безоблачно, как они предсказывали. То, что успех в искусстве балета — это результат огромного труда, — истина, известная всем. Я любила этот труд и была к нему хорошо подготовлена, а те сложности и препятствия, которые мне предстояло преодолевать, не имели никакого отношения ни к ежедневным занятиям классом, ни к работе над ролью в репетиционном зале...

Когда все препятствия оставались позади и я выходила на сцену, то чувствовала себя совершенно счастливой. Я ощущала, как замирает публика, сопереживая моей героине. Мне казалось, что мои чувства и мое волнение передаются в зрительный зал, вызывая ответную мощную волну, которая заряжала меня чудесной энергией. Так рождалась та трепетная взаимосвязь со зрителями, ради которой я и стала балериной.

Мой дебют в «Лебедином озере» стал первым серьезным шагом в моей профессии.

После него я стала полноправной солисткой Мариинского театра. Но все еще продолжала быть студенткой Академии балета. Впереди предстояли выпускные экзамены и выпускные концерты на сцене Мариинского театра. Госэкзамены я сдала по всем общеобразовательным предметам и профессиональным дисциплинам и получила оценки «отлично». Мне вручили красный диплом, к большой моей радости и радости моих родителей.

Так закончилось мое обучение в Академии балета, начавшееся с условного поступления.

Свой новый сезон в Мариинке, уже после окончания Академии, я начала в классе педагога-репетитора Ольги Николаевны Моисеевой, народной артистки СССР. В ее классе занимались многие выдающиеся балерины. С Ольгой Николаевной мы подготовили целый ряд главных балетных партий классического репертуара: Медора в «Корсаре», Никия в «Баядерке», Фея Сирени в «Спящей красавице», Жизель, Раймонда. Продолжалась работа и над ролью Одеты-Одиллии.

В конце сезона Олег Михайлович Виноградов включил меня в гастрольные поездки Мариинского театра в Нью-Йорк и Лондон. Я танцевала там «Лебединое озеро», «Баядерку», «Жар-птицу» и... «Щелкунчика». Для меня появление в роли Мари на сцене Мариинского театра стало осуществлением детской Мечты. Все было как в моих грезах, но наяву — еще ярче и великолепнее. В дальнейшем мне посчастливилось танцевать Мари с такими прекрасными принцами, как Фарух Рузиматов, Виктор Баранов, Евгений Иванченко, Игорь Зеленский. Принц Фарух стал моей первой большой Любовью. На сцене и в жизни...

Труппа Мариинского театра редко показывала «Щелкунчика» на своей сцене. Его можно было назвать гастрольным зимним спектаклем. Моя Мари выходила на сцены лучших театров мира — Лондона, Парижа, Токио, Брюсселя. Такой поразительный подарок мне преподнесла моя удивительная судьба!

В Нью-Йорке наш театр выступал в знаменитом зале «Метрополитен-опера». Перед первым моим спектаклем, а это было «Лебединое озеро», я получила неожиданное напутствие от Юлии Махалиной. В той поздравительной открытке мудрая Юля предупреждала меня: «В театре не может быть подруг, есть только соперницы».

Тогда мне не хотелось в это верить, но мой театральный опыт, к сожалению, подтвердил правоту ее слов.

Эти гастроли оказались для меня очень счастливыми. Публика принимала наши спектакли с восторгом.

Балетные критики не скупились на похвалы. После Нью-Йорка труппа переехала в Лондон. Гастроли Мариинского театра лондонская публика встретила с большим интересом. Отзывы на наши спектакли были очень благожелательные. Газеты отмечали появление целой плеяды молодых талантливых балерин. Они писали, что Виноградов привез в Лондон новое поколение балерин, похожих на топ-моделей, отмечая высокий рост, стать и красоту новых солисток.

Все свободное от спектаклей и репетиций время я гуляла по Лондону. Этот прекрасный город сразу завладел моей душой и сердцем. После Петербурга я впервые почувствовала себя так, будто попала в родной город. Наверно, в этом еще играло роль знание английского языка. Все, что я видела: Вестминстерское аббатство, Темза, Трафальгарская площадь, башня Биг-Бен, Сент-Джеймс-парк, Букингемский дворец, обилие и разнообразие живых цветов на улицах и площадях... — все восхищало меня. Каждый вечер я старалась описать маме свои впечатления и послать ей факсом письмо. А больше всего я мечтала привезти маму в Лондон и пройтись вместе с ней по всем моим любимым местам. Через несколько лет моя мечта осуществилась. И я вполне наслаждалась мамиными восторгами.

Из других гастрольных поездок особенно памятными для меня стали выступления в «Лебедином озере» в городах Японии.

Для японцев музыка Чайковского и балет «Лебединое озеро» — нечто священное. Японские любители балета готовы смотреть этот спектакль бесконечное количество раз. Меня поражало, что многие поклонники переезжали с нами из одного города в другой.

Часто после спектакля выстраивалась такая большая очередь за автографами, что администратор театра усаживал меня в кресло, которое специально для этого выносил.

Обычно поездки в Японию были самыми продолжительными. Я надолго уезжала из дома. К тому времени мы уже поселились в нашей новой квартире на Крюковом канале, в совершенно особенном районе Петербурга — Коломне. Стараниями мамы мой дом стал удивительно уютным и красивым, в нем моя душа отдыхала.

Из окон этой квартиры открывается романтический вид на набережную канала, засаженную вековыми тополями. Ночью я любила смотреть на отражение в воде деревьев и домов, эта картина напоминала мне ожившие сказочные декорации. На противоположной стороне канала слева расположился Мариинский театр, а справа, чуть поодаль, высится изящная колокольня Никольского собора. Это фантастически красивый вид!

По утрам, направляясь в Мариинский театр на урок, я всегда останавливалась на мостике, чтобы оглянуться на наше окно и помахать маме рукой.

Уезжая на гастроли, я старалась приготовить для мамы какой-нибудь сюрприз, который она не могла сразу обнаружить. Это были флакончики духов, красивые открытки, шоколадки. Но однажды мне захотелось оставить ей частичку своей души. Сами собой родились строчки, и я записала их в молитвослов, который лежал на тумбочке у маминой кровати.

53

Я обратилась к маме:

Моя сердечная подруга! —
Моей души надежный кров.
Звено Божественного круга
И мой молитвенный покров!

....

Стихотворение получилось большое, целых десять четверостиший, написанных на одном дыхании.

Мама до сих пор считает, что это стихотворное послание было самым лучшим, самым бесценным подарком за всю ее жизнь.

Мне было странно и удивительно, что в моей душе появились эти стихотворные строки, потому что я уже давно перестала сочинять стихи. Это случилось после потрясения, перенесенного мною в школе. Я уже рассказывала о том, что в детстве у меня была потребность постоянно рифмовать свои мысли и впечатления. За несколько лет собралась целая тетрадка стихов, написанных на разные случаи и посвященных разным людям. Эту тетрадь я захотела показать своей классной руководительнице — учительнице литературы, уроки которой мне очень нравились. Одноклассникам я стеснялась читать свои стихи, боясь насмешек. Мне важно было узнать мнение человека, который профессионально разбирается в поэзии. Отдавая учительнице тетрадь, я просила никому ее не показывать. Однако на следующий же день учительница заявила на весь класс: «У нас появилась поэтесса. Послушайте ее стихи!» И начала их читать. Я оцепенела от ужаса.

Она читала совсем не так, как стихи звучали у меня. В голосе учительницы мне слышались насмеш-

54

ливые, издевательские интонации. Я боялась смотреть в глаза своим одноклассникам. Мое сердце разрывалось от боли из-за предательства и унижения. Я поняла, что мне грубо и жестоко влезли в душу. Не помню, как я смогла сдержать слезы и как доехала до дома. Там я разорвала тетрадь со стихами на мелкие кусочки. Я сказала себе, что больше не позволю никому вторгаться в мой душевный мир и поэтому прекращаю писать стихи. Каким-то образом маме тогда удалось меня успокоить, но сама она до сих пор не может смириться с утратой моих детских поэтических откровений.

Что касается той учительницы литературы, то теперь я думаю, она поступила так совсем не со зла, просто ей не хватило педагогического чутья.

Был еще один случай, когда я нарушила данное себе обещание. Я написала стихотворное поздравление Наталии Михайловне Дудинской по случаю ее восьмидесятипятилетия.

Этот юбилей отмечали в Мариинском театре. В программе было несколько спектаклей и заключительный концерт. Я танцевала для своего педагога, по ее выбору, два балета — «Лебединое озеро» и «Баядерку». Наталия Михайловна очень тщательно готовилась к этим спектаклям. Много времени она проводила в репетиционном зале со своими ученицами, выпускницами разных лет. Отдельные замечания Дудинской, ее гениальные подсказки, какие-то мелкие, но яркие штрихи — все это обогащало и углубляло созданные образы.

К тому моменту должность Виноградова занял Махар Вазиев. Если быть точной, то Вазиев стал временно исполняющим обязанности, так как полностью заменить Виноградова, художественного руководителя и балетмейстера, было в принципе невозможно. Махару как никому в Мариинском театре было выгодно постоянное отсутствие Виноградова. Не стану описывать покушения на жизнь Олега Михайловича, постоянные угрозы в его адрес и просто бесчеловечные ситуации, в которых он оказывался. Об этом много писала пресса. Достаточно сказать, что итогом борьбы Вазиева за должность руководителя балетной труппы стал вынужденный отъезд Олега Михайловича в Корею... на долгие годы.

В то время я уже являлась полноправной солисткой Мариинского театра. Махар Вазиев видел во мне потенциал и большие перспективы. Тогда он сделал мне ряд предложений... интимного характера, а также предложил делиться с ним моими гонорарами за зарубежные выступления. Для меня это было унизительно и абсолютно неприемлемо. В ответ на это Махар стал мстить, решив разрушить мою творческую жизнь.

В заключительном концерте я станцевала современный номер, поставленный специально для меня австрийским хореографом Алексом Урсуляком на музыку Глюка. Номер назывался «Прощай, Диана» и был посвящен трагической гибели английской принцессы. Хореография была очень сложной и динамичной. Но главное — номер был наполнен сильнейшими эмоциями. Я очень любила его и с радостью исполнила перед Дудинской. Он имел большой успех у публики и заслужил похвалу Наталии Михайловны. Мое выступление с этим номером имело неожиданные и очень важные для меня последствия.

На концерте присутствовал выдающийся хореограф Борис Яковлевич Эйфман. В антракте он подошел к моей маме и рассказал о своем замысле создать балет о юности Павла Первого. Роль Екатерины Великой он сочиняет, имея в виду мои внешние данные и балетную индивидуальность. Поверить в это фантастическое сообщение было абсолютно невозможно. Мы постарались не думать об этом, чтобы не обольщаться зря. Тем не менее через два года я получила от Эйфмана этот великий подарок.

А пока мама разговаривала с Борисом Яковлевичем, я стояла за кулисами, выслушивая мнение педагогов о своем новом номере и принимая поздравления. Торопиться мне было некуда, поскольку в третьем отделении я не была занята. Неожиданно ко мне подошел разъяренный Махар Вазиев, который совсем недавно стал директором балетной труппы после ухода Виноградова. Вазиев потребовал, чтобы я немедленно шла переодеваться и готовиться к выступлению.

В третьем отделении должны были показывать Большое классическое па из балета «Пахита». В главной роли выступала Ульяна Лопаткина. От меня Вазиев требовал выйти в одной из вариаций. Мне казалось, что мои объяснения должны были убедить Вазиева в неуместности его приказа. Во-первых, я танцевала эту вариацию последний раз пять лет назад, еще в школьных концертах, и мне была необходима репетиция; во-вторых, у меня даже не было нужного костюма. На все это Вазиев заявил, что пачку мне сейчас одолжит кто-нибудь из кордебалета, а что касается репетиции, то я обойдусь без нее. Ничего, мол, страшного, если и станцую кое-как — я там не главная. Более унизительного и непрофессионального предложения невозможно было представить. Все это я высказала Вазиеву, добавив, что я не крепостная актриса, чтобы подчиняться вздорным приказам. Реакция Вазиева была страшной. От его жуткой брани и криков разбежались все находившиеся поблизости.

Махар Вазиев прекрасно знал, что я всегда была готова выручить труппу в трудный момент. Мне не раз приходилось срочно заменять заболевшую балерину, я охотно соглашалась танцевать в день приезда, когда не было времени отдохнуть, не раз я выходила на сцену с новым партнером, проведя минимум репетиций. Все это было нужно театру. Но сейчас никакой надобности не было. Эту вариацию могли станцевать многие солистки. Ясно было, что Вазиеву зачем-то понадобилось испортить впечатление от моего успешного выступления с сольным номером, причем сделать это на глазах у моего педагога и ее гостей — балетных профессионалов. Разумеется, я не могла на это согласиться. Вазиев ушел, продолжая произносить угрозы в мой адрес. Все, кто это слышал, решили, что дни моего пребывания в театре сочтены. К несчастью, это оказалось правдой.

До своего назначения директором труппы Махар Вазиев был одним из ведущих солистов театра. Мне доводилось танцевать с ним, и это были прекрасные спектакли. Мне казалось, что на сцене у меня с Махаром возникало полное взаимопонимание. И не зря для своего последнего спектакля он выбрал меня партнершей.

Став руководителем балетной труппы, Вазиев превратился в настоящего деспота. Солисты театра не смели принимать приглашения зарубежных импресарио, не имели права выступать в концертах, им не разрешалось самостоятельно работать с хореографами над новыми номерами. На все это нужно было просить согласия Вазиева, которое он давал редко и очень неохотно, заставляя не раз и не два приходить к нему на прием в назначенное время и часами ждать его у закрытой двери. Так же он поступал и с иностранными импресарио. Вазиеву важно было крепко держать в своих руках судьбы артистов балета. В качестве наказания он применял самую страшную меру — отлучение от сцены.

Меня не взяли и на гастроли в Японию. В последний момент перед спектаклем мне заменяли партнера. Могли заменить и дирижера, с которым данный спектакль репетировали. Без веской причины отстраняли от афишных запланированных спектаклей или практически без репетиций вводили в незнакомый спектакль. Наконец, мне просто перестали давать роли.

В следующем месяце моей фамилии уже не было в репертуаре театра. Я всегда безумно боялась остаться без спектаклей. Я привыкла к напряженному ритму жизни, когда один спектакль следовал за другим, и я все время была погружена в работу над ролью. Если бы мне дали такую возможность, я бы часами не выходила из репетиционного зала. Но и за стенами театра мысли о создаваемом образе не оставляли меня. Они преследовали меня даже ночью. Это и была моя жизнь. Видя, что я продолжаю приходить на репетиции, Вазиев издал приказ, запрещающий появляться в репетиционном зале артистам, не занятым в текущем репертуаре.

Мне всегда казалось, что если я остановлюсь сейчас хотя бы на одну секунду, то потом буду наверстывать упущенное непомерное количество времени. Поэтому для меня нет ничего страшнее творческого простоя.

Несмотря на то что за четыре сезона я станцевала в Мариинском театре почти весь сольный классический репертуар (более двадцати ролей), теперь ситуация в корне изменилась: мне запретили даже репетировать.

Моей спасительницей стала Инна Борисовна Зубковская. Она выписывала время репетиций двум своим ученицам по двадцать минут сверх необходимых. Таким образом я могла репетировать целых сорок минут. О моем любимом педагоге и большом друге Инне Борисовне я еще обязательно напишу. А пока должна сказать, что о ее маленькой хитрости вскоре было доложено Вазиеву, и наши занятия с ней пришлось прекратить. Я оказалась в том ужасном положении, которое грозило мне лотерей профессии.

Как нельзя более кстати раздался звонок из Японии. Директор театра в Нагое Минору Очи предложил мне станцевать в его театре партию Феи Сирени в балете «Спящая красавица». И я поехала в Японию.

Накануне моего выступления Минору Очи подошел ко мне и показал письмо, полученное им от Вазиева. Тот требовал отстранить меня от спектакля. Письмо было написано в таком грубом и угрожающем тоне, что бедный Минору Очи испытал настоящий шок. Для японцев, у которых вежливость — непременная основа общения, такое письмо было в высшей степени оскорбительным. Разумеется, я должна была остаться и танцевать. У меня не было денег, чтобы оплатить театру неустойку, и я не могла обмануть ожидания публики, раскупившей все билеты. Я всегда с радостью танцевала перед японскими зрителями и чувствовала, что эта радость взаимна. Так было и на этот раз.

После окончания гастролей Минору Очи горячо меня поблагодарил. Возвращаясь домой, я уже знала, что там меня ждут тяжелые испытания. В моем родном Мариинском театре я ощутила страшную пустоту: в ближайшие несколько месяцев у меня не было ни одного спектакля.

В январе намечалось очень важное событие — обменные гастроли с Большим театром. Можно было не сомневаться, что Вазиев не захочет показать меня в Москве. Однако, не найдя себя в списках, я проплакала всю ночь. Меня старались утешить и поддержать Инна Борисовна Зубковская (она не могла понять и поверить в то, что меня не берут на гастроли), артисты оперы, музыканты оркестра и дирижеры. Именно оперные артисты отправились к художественному директору театра Валерию Гергиеву, чтобы просить за меня. Их стараниями я попала на прием к Валерию Абисаловичу. В результате нашей беседы я была включена в гастрольную программу, но, к сожалению, лишь в заключительный концерт. Мне предстояло танцевать па-де-де из «Лебединого озера» с моим партнером Женей Иванченко.

Однако поздним вечером накануне концерта секретарша Вазиева объявила мне, что завтра я должна буду танцевать совсем другой номер и с другим партнером — па-де-де из «Корсара» с Фарухом Рузиматовым. О репетиции уже не могло быть и речи. Но главное — в программке концерта не было указано ни наше выступление, ни мое имя. Так что московским любителям балета пришлось гадать, кто это танцует с Фарухом Рузиматовым.

Вот так ловко Вазиев сумел выполнить распоряжение начальства и не нарушить своих планов относительно меня. Хотя, как я узнала впоследствии, публика меня отметила и запомнила. Может быть, именно потому, что им пришлось выяснять мою фамилию.

Чем больше я чувствовала безнадежность своего положения под неправедной властью Вазиева, тем сильнее росло в моей душе предчувствие каких-то необыкновенных, очень важных перемен в моей судьбе. Как будто я уже слышала звучание увертюры к новому прекрасному спектаклю.

Я верила, что мне предстоит подняться еще на одну ступень в моей творческой жизни. И опять на моем пути возник балет «Лебединое озеро». Это был совсем другой спектакль, с другим либретто. Автором и постановщиком этого балета был Владимир Викторович Васильев — в то время художественный директор Большого театра. Именно от него я и получила предложение станцевать партию Царевны-Лебедь в его балете.

Случилось это таким образом. Оставшись одна в Мариинском театре во время обменных гастролей (ведь я участвовала лишь в заключительном спектакле), я стала посещать уроки балетного класса вместе с артистами балета Большого театра.

Васильев спросил меня, почему я не в Москве. Я рассказала ему о своей ситуации в Мариинке. В течение целого сезона у меня не было ни одного спектак... так сложились, к сожалению, обстоятельства и отношения с директором балета. Тогда Васильев предложил мне перейти в Большой театр, начав работу с партии Царевны-Лебедь в его балете.

В этот же день произошла встреча Васильева с Гергиевым, на которой оба руководителя договорились о моем выступлении в одном спектакле на сцене Большого театра. Валерий Абисалович сообщил мне, что я должна буду станцевать «Лебединое озеро» второго марта. На подготовку к спектаклю у меня была пара недель. Обычно я очень быстро разучиваю новую роль. Но здесь был другой случай.

«Лебединое озеро» Владимира Васильева — совсем другой балет, в котором схожесть с классической редакцией существует только в первом «лебедином» акте. Во втором акте (а их всего два!) отсутствует привычный для нас черный лебедь, зато введен новый образ русской принцессы, заколдованной царевны, в которую влюбляется принц. В общем-то, очень интересная трактовка. Но сложность в том, что солистка исполняет свою партию под «мужскую» в обычной редакции музыку. Партия русской принцессы на балу длится пять с половиной минут, после чего балерина практически сразу выходит танцевать дуэты. А после дуэтов она начинает свою вариацию. Далее идет вариация принца, а затем коды, которую они танцуют вместе. И под конец этой коды балерина делает не тридцать два, как обычно, а сорок восемь фуэте! После чего начинается еще третья кода. То есть солистка танцует совершенно без перерыва. От балерины требовалась невероятная выносливость. После сцены бала, без антракта, идет последняя картина, к которой надо

63

успеть переодеться. Словом, исполнительница главной роли в балете Васильева совершала изнурительный марафон. Для зрителей такое кинематографическое решение сценического действия было захватывающим и увлекательным. Но исполнители должны были выдержать серьезные физические нагрузки. На это даже смотреть тяжело, а выучить, мне казалось, было просто нереально. Нереально, но возможно. Для меня — возможно! Так всегда получалось в моей жизни, что, чем сложнее стояла задача, тем сильнее мне хотелось ее решить. Все выдержать и победить. Что касается больших нагрузок, то я никогда их не боялась. Я всегда отличалась выносливостью. Меня беспокоило другое: смогу ли я создать именно тот образ, который задумал Васильев. Мне хотелось доказать ему и себе, что он не ошибся, выбрав меня на эту роль.

Ревность — черта, традиционно присущая любому театру. Если ты являешься артистом какого-то определенного театра, на тебе ставят клеймо. И в хорошем, и в плохом смысле. В хорошем, потому что театр дает тебе принадлежность к школе, к высокому классу мастерства. Но при этом даже твоя невостребованность в театре не может служить оправданием для решения расстаться с его сценой. В этом смысле театр — точно собака на сене. Именно с такой ситуацией я и столкнулась, когда решила принять предложение Владимира Викторовича Васильева танцевать «Лебединое озеро» на сцене Большого театра. Конечно, в моем случае масла в огонь подливал балетный директор Махар Вазиев. В его планы входило, скорее, выставить меня на улицу... Но никак не в Большой театр... Это не только творческая, но и очень жизненная ситуация. А поняла я это гораздо позже... Примерно за две недели до намеченного дня моего дебюта из Большого театра мне передали кассету с записью балета Васильева. По кассете я за одну ночь разучила порядок своей партии и на следующий день вылетела в Москву на репетиции.

Помню, что, придя на репетицию в первый раз, я никак не могла справиться с волнением. Я очень боялась, что мне не хватит времени, чтобы не просто освоить хореографию, но понять и почувствовать образ своей героини. Со мной репетировали и сам Владимир Викторович Васильев, и прекрасный педагог Виктор Барыкин, и мой первый партнер в Большом театре Константин Иванов. Они показывали каждое движение, объясняли все, даже самые мелкие нюансы, знакомя со всеми тонкостями дуэтов. Никто из помогавших мне людей не мог поверить, что можно за одну ночь выучить порядок балета, на подготовку которого опытные артисты тратили не меньше месяца!

И, наверное, самым важным для меня в изучении этой партии стали уроки самого Васильева, который приходил на наши репетиции каждый день. В конце концов, я забыла о своих страхах и с увлечением погрузилась в работу.

65

Однако не прошло и трех дней, как мне позвонили из Петербурга и сообщили, что я должна срочно вернуться. Это было требование Вазиева. Его совершенно не устраивала перспектива моего дебюта в Большом театре. Не считаясь с договоренностью руководителей, он стал угрожать, что примет против меня серьезные дисциплинарные меры, вплоть до увольнения.

Ему не удалось найти у меня никаких нарушений дисциплины, так как в Москву я была командирована официально. Тогда он придумал очень хитрый ход, который должен был поставить меня перед выбором: либо я дебютирую в Большом театре, и тогда меня увольняют за прогулы из Мариинки, либо подчиняюсь решению Вазиева и — лишаюсь дебюта в Большом. Совершенно неожиданно для всех со стороны балетного руководства Мариинского театра на меня буквально сваливается необходимость принять участие в гастролях, которые должны были состояться в последнюю неделю февраля. Такая забавная тонкость: вообще-то на гастроли в Америку отправляли труппу Вагановской Академии, но накануне в нее неожиданно включили еще и несколько артистов Мариинского театра. И в их числе — меня! Это были недельные гастроли в Нью-Йоркской балетной школе! Семь концертов подряд с крайне тяжелой программой, которые заканчивались за день до премьеры в Большом театре. Мне предстояло станцевать в каждом концерте: целый акт «Теней» из «Баядерки», па-де-де из «Дон-Кихота» и в завершение концерта — «Умирающего лебедя». Последний концерт был намечен на двадцать восьмое февраля. Если учесть, что в том феврале было двадцать восемь

66

дней, в самом лучшем случае я могла появиться в Москве только накануне спектакля. Но в каком состоянии! После тяжелого двенадцатичасового перелета и семи изнурительных концертов. Ни о каком достойном выступлении уже нельзя было даже мечтать. Я была в отчаянии. Конечно, я бросилась умолять Вазиева освободить меня от гастролей, тем более что в первоначальных списках была другая солистка, да и заменить меня сможет любая балерина и даже выпускница школы... Все было напрасно. Вазиев объявил мне, что если я откажусь от гастролей, то буду уволена. После чего он отключил телефон и исчез из театра.

Получив твердый отказ, я почувствовала настоящую безысходность и, помню, за одну ночь выплакала все свои слезы. Но, тем не менее, сказать «нет» Владимиру Васильеву в те дни означало сказать «нет» Большому театру навсегда. К тому же я видела в предложении Владимира Викторовича не просто шанс, а знак судьбы. В свое время сцена Большого театра, на которой меня заметил Олег Михайлович Виноградов, привела меня в Мариинский, теперь же в Мариинском театре я получила предложение Владимира Викторовича Васильева «вернуться» на сцену Большого уже полноправной солисткой.

Я никак не могла решиться позвонить Васильеву и объяснить ему, какая у меня возникла проблема. Я боялась потерять его спектакль. Мои терзания прекратила Инна Борисовна Зубковская. Она убедила меня срочно начать репетиции основных вариаций Царевны-Лебедь.

В тот же день мы с Инной Борисовной приступили к работе над главной вариацией — танцем «Русская».

Этот танец должен был раскрывать суть образа Царевны, ее русскую душу. Это очень красивый танец. Он и лиричный, и задорный. Безусловно, его можно назвать изюминкой всей партии. Инна Борисовна не стала в точности следовать замыслу Васильева, вернее, копировать по видеозаписи. Она предложила мне свою личную трактовку этого танца. Инна Борисовна смогла не просто его украсить, она превратила танец в настоящую маленькую поэму. Сама Инна Борисовна была необычайно красивой женщиной. Я любовалась ее пластикой, ее прекрасными руками. Она показала мне новые, очень красивые позиции рук и тела, которые оживили и одухотворили всю вариацию. В результате наша с Инной Борисовной русская Царевна преобразилась и стала так хороша и пленительна, что не могла не покорить принца, да и, надеюсь, всех зрителей на сцене и в зале.

Когда через некоторое время этот танец в моем исполнении увидел сам Владимир Викторович, то остался доволен тем, что привнесла в него Инна Борисовна. Это и неудивительно, ведь Васильев и Зубковская были друзьями и у них существовала духовная общность, они прекрасно понимали друг друга.

И хотя балет Васильева уже не идет на сцене Большого театра, в памяти о них я сохранила танец «Русская» в своем концертном репертуаре. И всегда открывала им свои гастроли за границей.

Таким образом, проведя предварительно три репетиции, я все-таки отправилась на гастроли в Нью-Йорк. Оказавшись в Америке, я прежде всего постаралась выяснить, есть ли у меня шанс попасть в Москву хотя бы за день до дебюта. Организаторы гастролей сразу вошли в мое положение и постарались мне помочь. Они поменяли мне обратный билет прямо на Москву. Однако, чтобы попасть на этот рейс, надо было договориться с Ульяной Лопаткиной. Она должна была танцевать в утренней, а я — в вечерней постановке. Я попросила ее поменяться со мной временем выступления, то есть, по сути, предложила ей престижное вечернее выступление в обмен на утреннее. Мне во что бы то ни стало нужно было попасть на рейс, позволивший бы мне прилететь в Москву на несколько часов раньше и успеть провести репетицию перед ответственной премьерой... Но Ульяна, которая до моей просьбы беспрестанно жаловалась на дурное самочувствие и необходимость участвовать в утреннем действе, внезапно выздоровела и ответила мне твердым отказом.

Обеспечивать мой дебют в Большом театре не входило в сферу интересов Лопаткиной. Наверное, с моей стороны было наивно обращаться к Ульяне с такой просьбой, если накануне она сделала все, чтобы даже не дать мне перерепетировать с Игорем Зеленским, с которым я не танцевала больше года. Лопаткина же в то время выступала с ним постоянно.

Чтобы я могла успеть на тот рейс в Москву, организаторы наших гастролей сняли с программы мой последний номер. У служебного входа в театр меня уже ждала машина, где мне пришлось и переодеваться, и разгримировываться, пока мы неслись в аэропорт.

В самолете я думала о предстоящем спектакле. Я твердо знала, что не имею права потерять этот шанс. И настраивала себя только на победу.

В Москве я оказалась в ночь на второе марта. Вышла из самолета в ужасном состоянии, совершенно обессиленная. Смена часовых поясов, долгий перелет, во время которого я не смогла заснуть ни на минуту, и большая разница во времени сказались на моем самочувствии. Я не чувствовала ног, голова была тяжелая, ломило виски. К счастью, в гостинице «Москва» меня уже ждала мама. Как всегда, она нашла нужные слова, чтобы успокоить и вселить в меня уверенность в себе. Мама смогла убедить меня, что и это испытание я смогу выдержать с честью.

Когда я, обессиленная, пришла в Большой театр, меня, к счастью, уже ждали мой партнер Костя Иванов и педагог Виктор Барыкин, которые согласились провести еще одну репетицию, хотя обычно в день спектакля это не практикуется. Артисты отдыхают перед премьерой, чтобы набраться сил. Тем не менее была проведена репетиция, которая плавно и неотвратимо перетекла в спектакль. Сказать, что было тяжело, — ничего не сказать. Я знаю, что пригласивший меня Владимир Викторович Васильев очень волновался. Ведь он был осведомлен обо всех событиях, которые со мной происходили во время подготовки к дебюту. Я помню, что все участники спектакля охотно помогали мне во время репетиции. Тогда у меня сложилось впечатление, что в Большом театре служат только очень добрые, отзывчивые и благородные люди.

Репетиция прошла для меня как во сне. Помню только, что Васильев, похвалив меня, допустил к дебюту. Выходя на сцену, я понимала, что зрителей не интересует, откуда я прилетела и успел ли мой организм адаптироваться к новому часовому поясу. Они пришли наслаждаться спектаклем, и я должна быть на высоте и не обмануть их ожиданий.

Безусловно, для меня это был один из самых сложных спектаклей, особенно второй акт. Когда я выходила на фуэте, то уже не чувствовала ног и боялась, что вот сейчас упаду. Мне казалось, что только чудо может мне помочь. Я стала молиться Николаю Чудотворцу. И чудо действительно совершилось: мне удалось с успехом выполнить сорок восемь фуэте. Да и весь спектакль оказался очень удачным. Помню, что ног не чувствовала. Но танцевала я на одном дыхании. После окончания спектакля я с огромным волнением и радостью выслушала поздравления Владимира Васильева и Екатерины Максимовой, которые назвали мое выступление большой победой и настоящим подвигом. Именно эти слова они сказали Инне Борисовне Зубковской, которой сразу же позвонили, зная, что она ждет и беспокоится за судьбу моего дебюта.

Было очевидно: моя Царевна-Лебедь понравилась публике. Даже настороженная московская пресса доброжелательно отозвалась о моем выступлении. Я могла возвращаться в родной Мариинский театр с гордо поднятой головой. Но, к сожалению, в Мариинке мой успех мало кого порадовал, а отношения с директором труппы еще больше ожесточились. Известная театральная аксиома: все готовы посочувствовать твоей неудаче, но никто не прощает твой успех,— действовала в моем случае безотказно. Зато каким счастьем стала для меня неподдельная радость моих настоящих друзей. И первой среди них была Инна Борисовна Зубковская. Своим одобрением и похвалой она всегда умела поддержать мою веру в свои силы и желание добиться еще больших успехов. Работа с Инной Борисовной была для меня настоящим праздником. Во время наших занятий в репетиционном зале всегда возникала прекрасная творческая атмосфера. Что касается моих близких и очень теплых отношений с Инной Борисовной, то они продолжались все последующие годы до самой ее кончины, которую я переживала очень остро. Сейчас могу сказать определенно, что ее место в моей жизни и в моем сердце так никто и не смог занять.

Махар Вазиев не мог смириться с тем, что меня приглашают в Большой театр на положение примы. Он начал поспешно искать повод для моего увольнения по статье. Его невероятно разозлил сам факт состоявшегося дебюта в Большом театре, ведь он сделал все, чтобы сорвать его. По воле Вазиева я начала жалкое существование на обочине театральной жизни. Моего имени в афишах зрители уже не видели. Я выходила на сцену только в случае, когда надо было заменить другую балерину. Меня не занимали в новых постановках. Хотя от самих хореографов-постановщиков я знала, что была одной из первых среди выбранных ими балерин. Вазиев всегда вычеркивал мое имя, объясняя это моей якобы чрезвычайной занятостью в репертуаре театра. С большим сожалением мне сообщали об этом сами хореографы.

Такое изощренное коварство руководителя группы больно ранило меня. Кроме того, не имея другой возможности уволить, Вазиев буквально терроризировал меня, требуя, чтобы я написала заявление об уходе из театра «по собственному желанию». Единственный мой афишный спектакль, «Лебединое озеро» (мой судьбоносный балет), намеченный на шестнадцатое апреля, у меня отняли без объяснения причин. Буквально накануне Юля Махалина предупредила меня, что этот спектакль танцует она. Оправдываясь, она сказала мне, что не может не выполнить распоряжение Вазиева. Для меня это стало последним ударом. Мой уход из театра был неизбежен.

С болью в сердце я приняла решение оставить Мариинский театр и своего любимого педагога Инну Борисовну Зубковскую. Я страдала от мысли, что теперь подолгу буду в разлуке с Петербургом. Очень жаль было уезжать из уютной красивой квартиры. Но я надеялась, что Москва откроет передо мной широкие перспективы.

Владимир Викторович, приглашая меня, обещал насыщенную творческую жизнь на сцене Большого театра — не только серьезную занятость в репертуаре, но и новые премьерные спектакли.

В эти дни мне постоянно звонил Коля Цискаридзе, уговаривая переходить в Большой театр. Он предлагал мне быть его партнершей и в ближайшее же время станцевать с ним «Раймонду». И еще одно обстоятельство скрашивало горечь происходящего. Это встреча в Большом театре с обожаемой с детства блистательной балериной Екатериной Максимовой, которая должна была стать моим педагогом-репетитором.

Я написала заявление директору балетной труппы Мариинского театра Вазиеву с просьбой уволить меня из-за созданных им невозможных условий работы. Естественно, такое заявление он не принял и не подписал. Я не была уволена, и моя трудовая книжка находилась в отделе кадров Мариинского театра еще многие годы. У меня оставалось право вернуться.

Когда я вспоминаю свой переезд из Петербурга в Москву в 1998 году, то испытываю противоречивые чувства. Как ни странно, оказалось, что не так сложно сменить одну сцену на другую, как привыкнуть к совершенно чужому городу. Позднее, когда уезжала в Лондон, я ощутила, что было легче поменять Петербург на Лондон, чем Петербург на Москву. Не потому, что в одном городе лучше, а в другом хуже, а потому, что Москва — абсолютно другая. Незнакомый стиль жизни, совершенно иная культура, другой уровень общения... Были непривычны приземленность или даже заземленность мысли, хаос, суета и очень быстрый ритм жизни, к которому приходилось приноравливаться.

Тем не менее я хорошо понимала, что порядочная часть моей жизни пройдет именно в этом городе, а значит, его предстоит полюбить. И действительно, постепенно я сроднилась с Москвой, влюбилась в ее удивительной красоты православные храмы, в ее архитектуру, ее улицы и улочки. Единственное, к чему я по-настоящему долго привыкала, — московский метрополитен. По сравнению с петербургским — это критский Лабиринт, за исключением того, что пассажирам при входе не выдают путеводной нити Ариадны. И если в Петербурге в детстве я проезжала свою станцию оттого, что засыпала от усталости, то в Москве я выходила на совершенно ненужной мне станции, потому что плутала на переходе и не всегда правильно выбирала линию. Со временем я, конечно, привыкла к схеме линий московского метро и уже прекрасно в нем ориентировалась. Помню, возвращаясь вечером с поздних репетиций в Большом театре, я заходила в какой-нибудь магазин и покупала творог, обезжиренный кефир или минеральную воду. И репетиции, и долгая дорога настолько меня выматывали, что пакет в общем-то с небольшим количеством продуктов казался мне непосильной ношей. По прибытии в маленькую однокомнатную квартиру на Полянке, до которой еще приходилось от метро добираться троллейбусом, мне хотелось просто рухнуть на кровать и уснуть. Однако я делала над собой усилие, сервировала стол и ужинала (если творог и кефир можно считать ужином), как если бы совершала маленький изящный ритуал.

Квартиру мы снимали вместе с мамой. Это стоило нам триста долларов в месяц. А зарплата в Большом театре была около ста долларов. В общем, приходилось трудно. Но я знала, что переехала не для того, чтобы жить в шикарной квартире, не за роскошью в хоромах, а за тем, чтобы работать с Владимиром Викторовичем Васильевым и Екатериной Сергеевной Максимовой. Я приехала для того, чтобы танцевать, и надеялась, что потом все как-то образуется.

Кстати, с квартирой на Полянке связана одна невероятная история. Она произошла накануне четырнадцатого февраля, Дня святого Валентина. В тот вечер я с некоторой горечью подумала о том, что мне опять не с кем отметить этот замечательный праздник, поэтому легла спать пораньше и практически сразу уснула. К счастью, не спала моя мама. Около часа ночи она почувствовала запах гари. Открыла дверь и обнаружила лестничную площадку в столь плотном дыму, что невозможно было дышать. Мама разбудила меня, я, конечно, тут же вскочила и начала звонить в пожарную часть: «Здравствуйте, извините за беспокойство, это Анастасия Волочкова».

В ответ мгновенно услышала бурный возглас засмеявшегося дежурного: «Да не может быть, хватит нас разыгрывать!» Мне понадобилось еще некоторое время, чтобы убедить его в том, что с нами действительно случилась беда и в нашем доме пожар. Дежурный пообещал, что машина прибудет через сорок минут. Мы с мамой решили взять самое необходимое и выйти на балкон, чтобы не отравиться дымом, который проникал в квартиру. Мама судорожно, почти в панике начала бегать по квартире, собирая документы, какие-то вещи. Я к ней присоединилась, правда, самое необходимое в моем понимании в результате выглядело следующим образом: наш кот Маркиз, вечернее платье (я надеялась, что когда-нибудь мне еще придется «выйти в свет»), балетные туфли, в которых нужно было танцевать завтрашний спектакль, и мини-диск с фонограммами моих концертных номеров, на тот случай, что, если мы окажемся на улице, мне будет чем зарабатывать и я все же смогу давать концерты... Мама потом смеялась и говорила, что я поступила как истинная женщина. Начисто позабыв о ценных вещах и деньгах, действительно взяла только самое необходимое.

В общем, так я и простояла почти час на балконе в

ожидании пожарных с вечерним платьем, пуантами, котом и мини-диском. Наконец, приехала пожарная машина, к нашему балкону на втором этаже подвели лестницу и помогли нам с мамой спуститься вниз. Как потом оказалось, пожар произошел в квартире на первом этаже по весьма расхожей причине: там жили какие-то пьянчужки и забыли потушить сигарету. Но все хорошо, что хорошо кончается. Пожар был потушен, а мне после такой «веселой» бессонной ночки еще предстояло выйти на сцену в роли белого и черного лебедя. И как всегда у меня это бывает, от обратного, спектакль выдался на редкость удачным.

Все мои мысли уже были обращены к Большому театру: тринадцатого мая мне предстояло повторить свой дебютный спектакль «Лебединое озеро». Я с благодарностью вспоминаю, каким теплом и заботой окружила меня Екатерина Сергеевна Максимова. Она принесла мне в подарок свой теплый репетиционный комбинезон и уступила свое место в гримерке. Я была невероятно горда и никак не могла поверить своему счастью. Каждый раз, когда я садилась за гримерный столик, принадлежавший самой Максимовой, я чувствовала большое волнение и понимала, что это ко многому меня обязывает. И я очень старалась быть достойной ученицей.

Общение и беседы с Екатериной Сергеевной составляли важную часть наших репетиций. Я ловила каждое ее слово. Меня восхищали широкая образованность, ум и интеллигентность Максимовой. И еще меня удивляла ее скромность: прославленная балерина делила гримерку с шестью артистками кордебалета. Эти девочки вскоре стали моими подругами. На протяжении моей работы в Большом театре они всегда заботливо опекали меня и поддерживали в самые трудные моменты. Я видела, как нелегко живется в Большом театре простым артистам, и мне очень хотелось чем-нибудь им помочь. Такой случай представился на первых же моих гастролях с Большим театром в Лондоне. В посольстве России состоялся мой сольный благотворительный концерт в пользу артистов кордебалета Большого. Инициатором и организатором вечера выступил известный меценат граф Андрей Толстой. Этот человек был и остается историческим поклонником русского искусства. К сожалению, как часто случается у нас в России, эта помощь не дошла до адресатов. Во всяком случае, артистки из моей гримерки ничего не получили.

Спектакль на сцене Большого театра, который состоялся девятнадцатого июня 1998 года, можно назвать тройным дебютом: Николая Цискаридзе — в роли Жана де Бриена, Екатерины Максимовой — в качестве педагога-репетитора Большого театра и наконец — мой дебют в балете «Раймонда», поставленном Юрием Григоровичем. Спектакль имел огромный успех у публики. Можно сказать, что наш экзамен был сдан на «отлично».

Балет «Раймонда» закрывал сезон в Большом театре. Я уезжала из Москвы полная самых светлых, оптимистических надежд, не подозревая, какие катастрофические перемены в театре ожидают меня осенью.

А пока я приняла приглашение участвовать в международном музыкальном фестивале в Нью-

Порте (США). Это был ежегодный праздник, проводимый в летнее время. Среди политической и бизнес-элиты Америки он пользовался большой популярностью. Я оказалась первой балериной, приглашенной на этот музыкальный фестиваль.

Может быть, поэтому моего «Умирающего лебедя» зрители награждали такой горячей, такой бурной овацией, которой трудно было ожидать от этих чопорных господ в смокингах. После выступления ко мне подходили высказать свою благодарность многие знаменитые личности, в том числе члены семей Кеннеди и Эйзенхауэра.

Вернувшись из Нью-Порта в Петербург, где уже находилась моя мама, я начала готовиться к отъезду в Москву на новый сезон в Большом. Я уезжала одна, взяв с собой только самое необходимое. Тем не менее набралось два тяжелых чемодана. Мой папа был в это время на сборах, и мама беспокоилась, кто же сможет проводить меня на вокзал. Так получилось, что последние дни перед отъездом я посвятила прогулкам по Петербургу со своими новыми знакомыми из Швейцарии. Одним из них был князь Георгий Юрьевский, правнук Александра II, он-то и вызвался доставить меня на вокзал с моими чемоданами. Этот умный, интересный и веселый молодой человек смог скрасить печаль моего отъезда из дома. Наши добрые дружеские отношения с ним сохранились до сих пор. Случайно встречаясь с Жоржем в самых разных уголках мира, мы всегда рады видеть друг друга.

А в Москве меня ждали печальные новости. Произошла смена руководства балетной труппы.

Художественным руководителем балета стал Алексей Фадеечев, постоянный партнер ведущей солистки Нины Ананиашвили. Нина Гедевановна правила балом в Большом театре, или «праздником жизни», на котором я очень быстро почувствовала себя чужой: мне не предлагали танцевать ничего, кроме партии Одетты в «Лебедином озере», и то — угождая желанию Васильева.

Никто не ждал возвращения в Большой театр Нины Ананиашвили после долгого отсутствия, связанного с заграничными контрактами и серьезной травмой. Похоже, что Владимир Васильев тоже не ожидал ее появления, иначе он не пригласил бы меня на положение примы-балерины театра. Нина сразу взяла власть в театре в свои руки и начала распоряжаться судьбами балетных артистов. Моей — в первую очередь.

Вместо партий моего репертуара новый директор труппы стал предлагать мне роли второго плана.

Возмущенная Екатерина Максимова отправилась к Фадеечеву отстаивать мои права. Оставаясь в репетиционном зале, я с большим волнением ждала результата ее похода. Максимова вошла в зал совсем в другом настроении: она выглядела подавленной и удрученной. Из ее объяснений, почему я должна согласиться с требованиями директора, я сделала для себя очень печальный вывод: пригласивший меня Васильев теряет власть в театре.

Вскоре и сам Владимир Викторович, встретившись со мной в коридоре театра, сказал, стараясь не смотреть мне в глаза, что если он будет выполнять данные мне обещания, то пострадает сам. Васильев уговаривал меня подождать, пока изменится ситуация в театре, уверяя меня, что я еще все успею станцевать, потому что у меня вся жизнь впереди, ведь мне всего двадцать два года.

Я все поняла. Но с горечью вспоминала, с каким энтузиазмом он вместе с Екатериной Максимовой совсем недавно рисовал мне блестящие перспективы, которые откроются передо мной в его театре. И все-таки я хочу сказать им обоим огромное спасибо. Они не оставили меня сразу. Еще целый сезон Екатерина Сергеевна репетировала со мной. Эти репетиции и общение с ней я очень ценила. Они были для меня и школой мастерства, и школой жизни в театре.

Изменение моего статуса в театре имело для меня множество бедственных последствий. Прежде всего, отняв спектакли, меня лишили гонораров, которые обеспечивали бы вполне достойную жизнь. Оставалась гарантированная всем артистам балета зарплата в сто долларов.

Моя занятость в репертуаре Большого театра оказалась более чем скромной. Обещанный еще в конце прошлого сезона после моего успешного дебюта спектакль «Раймонда» станцевала Ананиашвили.

Оставалось «Лебединое озеро» по версии Васильева. Я успела полюбить этот балет и свою роль Царевны-Лебедь.

Нужно сказать, что этот балет Васильева не сразу был принят публикой и критиками. Кардинальные изменения классического сюжета и хореографии далеко не всем пришлись по душе. Васильев искал исполнительницу главной роли, которая более всего соответствовала бы его замыслу и позволила бы ярче и убедительнее донести его до зрителей. Мне повезло стать этой балериной. Во всяком случае, так говорили Васильев и Максимова. Спектакль явно начал нравиться публике. Особенный успех балет имел на гастролях в Лондоне и во Франкфурте-на-Майне. В лондонском театре «Колизеум» был настоящий переаншлаг. Сам художественный директор Большого театра и постановщик этого спектакля Владимир Васильев не смог попасть в зрительный зал. Моей маме повезло — ей достался входной билет, весь спектакль она просидела на ступеньках последнего яруса и была совершенно счастлива. Она наблюдала, как бушевал от восторга зрительный зал, и очень сожалела, что в зале нет Владимира Викторовича и что он не может почувствовать в полной мере грандиозность своего успеха.

Такой же успех ожидал «Лебединое озеро» Васильева и во Франкфурте-на-Майне. Перед началом гастролей состоялась пресс-конференция. Владимир Викторович попросил меня сказать несколько слов о балете и о моей героине. Я попыталась передать очарование этого сказочного романтического спектакля и свое понимание образа Царевны-Лебедь как воплощения прекрасной русской души. Мои слова были переведены на немецкий язык и напечатаны в буклете, посвященном нашим гастролям.

В репертуарном плане Большого театра «Лебединое озеро» Васильева с моим участием значилось всего два раза — в сентябре и в конце ноября.

Что касается «Баядерки», которую я станцевала в начале декабря, то мне ее дали только в связи с приездом из Лондона импресарио, которые просматривали спектакли и исполнителей для предстоящих гастролей. И это было все! До самого Нового года!

Для любой балерины такая нагрузка слишком мала, чтобы сохранить профессиональную форму. Я поняла, что должна рассчитывать только на себя и искать выход из создавшегося положения. К счастью, администрация театра не препятствовала своим артистам ездить на гастроли по личным контрактам. Это было моим спасением!

Свободного времени в Большом театре у меня для этого было более чем достаточно. Очень кстати оказались мои знакомства в балетном мире, приобретенные за время гастролей с Мариинским театром. Я с радостью принимала приглашения танцевать спектакли классического репертуара на самых разных балетных сценах мира. Меня часто приглашали на международные фестивали и гала-концерты. Таким образом, я всегда чувствовала свою востребованность и неизменный интерес к себе зрителей. Это давало мне веру в себя и надежду на успех своей карьеры в будущем.

Вскоре Большой театр выехал на гастроли в Лондон. Наконец-то я снова встретилась со своим любимым городом!

Мне предстояло танцевать в балетах «Баядерка», «Раймонда» и Васильевском «Лебедином озере».

Кроме спектаклей были организованы два концерта. На одном из них, который проходил в русском посольстве, мне был представлен известный лондонский адвокат и меценат Энтони Керман. Этот удивительный человек был послан нам с мамой самой судьбой. Я не знаю никого другого, у кого было бы столько душевных достоинств: отзывчивости, доброты и благородства. Превосходный юрист, в дальнейшем он не раз выручал меня из очень сложных ситуаций, в которых я оказывалась не по своей вине. Энтони стал моим импресарио и моим другом. Его полюбили все мои близкие друзья. Особенно чудесные, трогательные отношения возникли у Энтони Кермана с Инной Борисовной Зубковской. С его стороны это было обожание и поклонение, с ее — очень искренняя симпатия.

Те гастроли в Лондоне запомнились мне кроме всего прочего многими интересными встречами и знакомствами. Однажды после спектакля ко мне подошел директор труппы Английского национального балета Дерек Дин. Он сказал, что посмотрел все балеты с моим участием и хочет предложить мне контракт на двенадцать спектаклей с его театром. Дерек Дин задумал осуществить очень необычную постановку «Спящей красавицы» в Королевском «Альберт-Холле». Это предложение я приняла не сразу, поскольку оно было для меня слишком неожиданным.

И именно в этой лондонской поездке стало меняться ко мне отношение моих коллег по сцене. Я начала замечать, каким холодным, недобрым взглядом окидывают меня многие из них. Их стало раздражать особое внимание ко мне лондонской прессы и лондонской публики, которые помнили меня еще по гастролям Мариинского театра. Особенно болезненно я воспринимала явное охлаждение ко мне Екатерины Максимовой. Ее отстранение от меня было следствием очень серьезно продуманной и организованной интриги, которой я ничего не сумела противопоставить.

Директор балетной труппы Алексей Фадеечев доказывал мне ежедневно, что не заинтересован в моих успехах у зрителей. Я видела, как свято он охраняет интересы Нины Ананиашвили. Сводя к минимуму мои выступления, он объяснял это тем, что я слишком броско и ярко выгляжу на сцене. Поражаясь таковому аргументу, я задавалась вопросом, а как же должна выглядеть ведущая балерина в спектакле? Неужели бледно и незаметно?!

Теперь я понимаю, что раздражение по отношению к себе я вызывала с первых дней своего присутствия в Большом театре. Причем основанием для этого становились довольно странные вещи. Прежде всего то, что я представитель петербургской балетной школы. А конкуренция между московской и петербургской школами была всегда и существует по сей день. Тогда я поставила перед собой задачу научиться всему новому, что мог дать мне Большой театр. Вместе с тем старалась сохранить традиции, которые я впитала в Мариинке. Они проявлялись даже в мелочах. Например, в Мариинском, как и в других театрах мира, принято приходить на балетный урок заранее, до его начала. Это необходимо, чтобы успеть разогреться и подготовить тело к физической нагрузке. Однако в Большом артисты зачастую появлялись не до, а через пять—десять минут после начала класса, впопыхах вбегая в зал.

Я привыкла разогреваться на резиновом коврике. Это самый обыкновенный коврик для ванной, длиной примерно метр двадцать. Свой первый коврик я получила в подарок от нежно любимого мною Фаруха Рузиматова и по сей день берегу его как реликвию. Балетные залы Большого театра в то время не были оснащены специальным балетным покрытием. Делать гимнастику, лежа на не всегда чистом деревянном полу с занозами, было, по меньшей мере, неприятно. Спасал коврик. Спасал меня и бесил всех окружающих.

Мне, петербургской балерине, всегда было неловко за своих коллег по Большому, дефилирующих по коридору театра в банных халатах и стоптанных тапках! Я не разделяла эти «модные тенденции» и, несмотря на мою большую любовь к русской бане, предпочитала носить яркий спортивный костюм и белые кроссовки. Вместо балетных трико (телесного цвета колготок), вместо ставшей традиционной за двадцать лет юбки или пачки я любила репетировать в ярком купальнике. Иногда это были шортики или расклешенные внизу спортивные брюки, жилетки или маечки-топ. Оказалось, что все коллеги расценивали это как «выпендреж». Алексей Фадеечев нередко вызывал меня к себе в кабинет и резким тоном высказывал все, что думал по этому поводу: «Настя, у нас в Большом существуют свои устои! А вы ходите тут в своем ярком костюме. И коврик ваш нас так уж достал!» Его претензии казались мне просто чудовищными. Но слово «устои» запало мне в душу. Оно почему-то прочно ассоциировалось у меня с тем, что застоялось и начало дурно пахнуть.

В начале нового сезона мне был предложен гостевой контракт. Прежде я работала в Большом театре по основному, базовому контракту. Гостевой контракт не гарантировал мне определенное количество спектаклей, но зато позволял администрации в любой момент уволить меня без лишних хлопот. В составленном для меня договоре значились всего лишь пара спектаклей «Лебединого озера» в версии Васильева. Поменяв причину и следствие местами, Фадеечев, глядя на меня ясным взглядом, объяснил, что гостевой контракт — это то, что мне нужно для личных гастролей и сольных концертов. Все говорило о том, что Большой театр готовится расстаться со мной. И если бы не чудесное появление в театре Бориса Яковлевича Эйфмана с предложением станцевать в его новом балете «Русский Гамлет» главную женскую партию Императрицы, я сама ушла бы из театра. Можно сказать, что Эйфман своим спектаклем на время расстроил планы директора балетной труппы относительно меня. Неудивительно, что потрясающий успех «Русского Гамлета» у зрителей заставил администрацию поторопиться с моим увольнением. Премьера балета состоялась двадцать пятого февраля, второй спектакль я станцевала в начале марта. В марте же мне позволили последний раз выйти в «Жизели». А уже в апреле (за три месяца до конца сезона) я получила факс о том, что контракт со мной не будет продлен. Этот приказ даже не был дан на подпись директору Большого театра Васильеву. Причиной спешки могло послужить еще и то обстоятельство, что в мае у меня начинался контракт с Английским национальным балетом.

Моя способность отстаивать свою честь и бороться за справедливость, даже явная строптивость моего характера были заметны уже в начале творческой карьеры. Собственно, именно похожесть ситуаций в Мариинке и в Большом подтолкнула меня впоследствии к решению принять предложение Английского национального балета и провести в Лондоне полтора года.

Я уезжала из Москвы с тяжестью на душе, не желая смириться с жестокими и несправедливыми законами театра, где успех не прощают. Но почти сразу после увольнения я получила известие из Австрии о том, что меня удостоили приза ЮНЕСКО «Золотой лев — самой талантливой молодой балерине Европы». Я поехала в Австрию, где проходил балетный фестиваль и где мне был вручен этот приз. Там же я приняла участие в гала-концерте и станцевала несколько своих современных номеров. По счастливому стечению обстоятельств, на этом фестивале присутствовали в качестве гостей Юрий Григорович и Наталия Бессмертнова. Впоследствии Юрий Николаевич неоднократно рассказывал мне, как именно тогда они с Наталией Игоревной обратили на меня особое внимание, выделив из всех выступавших балерин.

То, что произошло впоследствии благодаря этому случаю, стало и спасением, и новым взлетом в моей актерской судьбе. Из Австрии я отправилась в Лондон, где приступила к репетициям «Спящей красавицы» в труппе Английского национального балета.

Новый 2001 год я встречала в Лондоне. Я жила в этом городе полнокровной жизнью и не собиралась ничего менять. Меня устраивал мой напряженный гастрольный график. Тем более что двери Мариинского и Большого театров были для меня закрыты. В тот момент казалось, что навсегда.

И тут раздался телефонный звонок. Звонил Юрий Николаевич Григорович. Он сообщил, что возвращается в Большой театр и собирается ставить новую редакцию балета «Лебединое озеро». Мне он предлагает исполнить главную роль Одетты-Одиллии. В ужасной растерянности я пробормотала, что мне не позволят танцевать в Большом. На что Юрий Николаевич ответили очень твердо, что мое участие в его постановке он ставил одним из главных условий своего возвращения в театр. Предложение Григоровича прозвучало как гром среди ясного неба. Не могла же я, в самом деле, предположить, что представится возможность «дважды войти в одну и ту же реку»? Естественно, ответила согласием и совершила отчаянную попытку начать все сначала в Москве. Вот так один телефонный звонок перевернул всю мою жизнь и поднял ее на новую ступень.

Я долго не могла поверить в то, что наш великий хореограф выбрал меня на главную роль в своем новом спектакле. В этом было что-то сверхъестественное. И это после всех тех несправедливых и ужасных событий, происходивших со мной.

Вскоре раздался другой звонок, который превратил сказочное предложение Григоровича в реальность. Звонил новый директор балетной труппы Большого театра Борис Акимов, сменивший Фадеечева. Он по-деловому обсудил со мной условия моего переезда в Москву.

Как все изменилось за такой короткий срок! Теперь Большой театр снял для меня номер в прекрасной новой гостинице «Аврора-Марриот», расположенной в двух шагах от театра. В самом театре я почувствовала совсем другую атмосферу, в которой теперь не была такой уж чужой. Первое, что меня приятно удивило и позабавило, — новый облик артистов. На уроки и репетиции они приходили теперь в нарядных современных костюмах (куда-то исчезли линялые халаты и стоптанная обувь), но главное — у всех были разноцветные резиновые коврики, на которых они разогревались. Поразительным было изменение к лучшему отношения ко мне солистов балета. Про девушек из кордебалета я даже не говорю, поскольку всегда чувствовала их поддержку.

Но главное — за время моего отсутствия произошла полная смена руководства Большого театра. Еще осенью 2000 года был уволен Васильев. Это было сделано в традиционной для Большого театра манере. Владимир Викторович шел в театр на собрание труппы по случаю открытия сезона. У служебного подъезда навстречу ему неожиданно бросился тогда еще министр культуры Михаил Швыдкой, протягивая руку, застенчиво и нелепо улыбаясь и что-то бормоча. Не дослушав «застенчивого» министра и не подав ему руки, Владимир Викторович развернулся, сел в машину и уехал. Так он узнал о своем увольнении, а вместе с ним — и весь мир. Эту сцену многократно показало телевидение по всем каналам. Я с ужасом смотрела репортаж, думая только о том, как чувствует себя в этот миг великий танцовщик, отдавший всю жизнь и весь талант театру, создавая ему мировую славу своим беззаветным служением. Я боялась, что сердце Васильева может не выдержать.

В репетиционном зале Большого театра меня встретили новый директор балетной труппы Борис

Акимов, мои партнеры Андрей Уваров (Принц) и Николай Цискаридзе (Злой Гений), а также наши педагоги-репетиторы.

К моему большому счастью, со мной начала репетировать Наталия Игоревна Бессмертнова — выдающаяся балерина, жена и муза Григоровича.

Репетиции проходили под непосредственным руководством самого Юрия Николаевича. Теперь, когда прошло довольно много лет, я могу утверждать, что ни один хореограф в мире не трудится с таким вдохновением и полной самоотдачей. Удивительно было наблюдать, как сочетаются в этом необыкновенном человеке жесткая требовательность, граничащая с деспотизмом, и неожиданная доброта и отзывчивость. Создавая свой спектакль, Григорович вносил стихию творчества даже в такие рабочие процессы, как монтировочные и световые репетиции. Эти репетиции проходили без артистов, но и монтировщики декораций, и осветители, меняющие партитуру света, работали под музыку. Пианист играл отрывки из балета «Лебединое озеро», а Юрий Николаевич следил, чтобы действия технических работников сцены строго совпадали с музыкой. Это было удивительно и прекрасно.

Вдохновение и увлеченность Григоровича не могли не передаваться нам — артистам. Мы чувствовали себя соучастниками замечательного творческого процесса, в котором рождались образы героев и все отчетливее вырисовывался новый сюжет спектакля.

А еще я помню один смешной случай, характеризующий нежное отношение Юрия Николаевича к артистам и ко мне лично. Дело в том, что даже в репетициях я люблю яркий неожиданный стиль, чтобы происходящее не выглядело обыденным. И мой петербургский мастер Ирина спила для меня репетиционную пачку моего любимого зеленого цвета.

Просто я очень люблю этот цвет весны, цвет моих глаз. Только вот в моем представлении зеленый — нежный, фисташковый. А в представлении Ирины, как выяснилось, когда мне привезли новую пачку в Москву, зеленый — ядовито-яркий, просто «вырви глаз». Я ее надела на репетицию, Юрий Николаевич заметил, остановил действие и говорит осветителю: «Что вы так светите? Почему Волочкова вся зеленая?» А перепуганный осветитель, покраснев (или позеленев), стал оправдываться: «Юрий Николаевич, извините, что я могу сделать? У нее просто пачка зеленая».

Смешно, конечно, но великий Григорович мог бы просто грубо потребовать от балерины, дескать, сними немедленно. А меня он очень интеллигентно попросил: «Настенька, а вы могли бы переодеть пачку? Какого-нибудь другого цвета?» В истории моих отношений с Мастером немало таких добрых, человечных и смешных случаев.

Первую постановку «Лебединого озера» Григоровичем в Большом театре зрители увидели в 1969 году. Тогда ему пришлось изменить концовку балета по указанию министра культуры СССР Екатерины Фурцевой. Последняя картина, в которой грандиозная буря на озере сокрушала лебединый стан, Злой Гений торжествовал победу, а Одетта погибала, не внушила оптимизма советскому министру культуры и была насильственно переработана в «апофеоз в фа мажоре». То есть Одетта оставалась живой, и все заканчивалось хеппи-эндом.

И вот, спустя много лет, Юрий Николаевич собирался возродить свой первоначальный замысел, пригласив меня участвовать в долгожданной редакции балета. Вместо волшебной сказки со счастливым концом он предложил зрителям лирико-философскую, Своим исполненную символических знаков драму. Своим балетом Григорович призывает зрителей задуматься о духовных ценностях, обратиться к своему внутреннему миру, прислушаться к своему сердцу и постараться сохранить верность своему предназначению и всему светлому, что есть в душе каждого.

Иногда мне кажется, что эта возрожденная картина всеобщей гибели стала для меня предзнаменованием скандального расставания с Большим театром... Но обо всем по порядку

Вернувшись в Москву, я начала усердно репетировать, ведь нужно было выучить много нового в предложенной редакции балета. Быстро освоиться и войти в курс дела мне помогли замечательные артисты Большого: Андрей Уваров, Коля Цискаридзе, Галя Степаненко, Надя Грачева, Дима Белоголовцев. Наталия Игоревна Бессмертнова как никто помогала мне в работе, поставила, можно сказать подарила, мне «лебединые» руки.

Меня восхищала и подкупала щедрость Наталии Игоревны как педагога. На своем опыте я знала, что многие успешные в прошлом балерины не спешат делиться своими знаниями с ученицами, оставляя при себе свои секреты.

Но Наталия Игоревна передавала свое мастерство без какой-либо доли ревности к возможному будущему успеху молодой балерины. Она делала это со всей искренностью и душевной добротой.

Феноменальной способностью Наталии Игоревны я считаю соединение высокого профессионализма с даром психолога. Она сразу нашла ко мне правильный подход. Она видела, что я постоянно занимаюсь самоедством, поскольку никогда не бываю довольна собой, своим исполнением. Зная это, Бессмертнова всегда старалась подбодрить меня и внушить уверенность в том, что все у меня получится. Она находила для меня нужные слова и произносила их именно тогда, когда эти слова были мне необходимы и могли поддержать меня, а иногда и спасти положение.

Наталия Игоревна очень много помогала мне в освоении технической стороны роли. Большую часть репетиционного времени мы занимались скрупулезной работой, оттачивая мельчайшие детали и нюансы. Бессмертнова была убеждена, что только безукоризненная техника, доведенная до автоматизма, позволит балерине быть эмоционально раскованной и естественной на сцене. И только благодаря рутинной работе в репетиционном зале может родиться подлинное вдохновение во время спектакля.

У самой Бессмертновой были изумительные руки. Мне безумно хотелось перенять эти филигранные движения кистей, которые производили такое сильное впечатление на зрителей.

И хотя Наталия Игоревна сама показывала каждое движение, я понимала, что скопировать это невозможно. Но я уже была счастлива тем, что работаю с такой выдающейся балериной.

Бессмертнова всегда была очень терпелива и деликатна во время репетиций. Но были такие профессиональные области, где она становилась абсолютно непреклонна и ничего не прощала. Это касалось музыкальности исполнения. В этом они с Григоровичем были особенно единодушны.

Малейшее непопадание в музыку расценивалось как преступление. Репетиции продолжались до тех пор, пока исполнители не демонстрировали идеальное слияние своих движений с музыкой. Огромное значение Наталия Игоревна придавала работе над дуэтом. Я готовила роль с Андреем Уваровым. Ко времени создания этого спектакля мы уже были опытной парой. Но Наталия Игоревна считала необходимым заново «складывать» наш дуэт. Она требовала от партнеров скрупулезного изучения друг друга, чтобы дуэт воспринимался как единое целое. Для этого необходимо было очень много работать вместе с партнером. Андрей Уваров, надо отдать ему должное, приходил на все репетиции. Он легко поднимал меня и помогал как в верхних поддержках, так и во вращениях. Наши старания завершились успехом. Публика оценила наш дуэт и горячо принимала его уже с первых наших выходов.

К сожалению, после премьеры «Лебединого озера» мы с Андреем встретились на сцене лишь спустя много лет... Всему виною нелепый случай. После премьеры спектакля начались поклоны. Я тогда не очень помнила, из какой кулисы надо выходить. Вернулся с поклонов Цискаридзе, танцевавший Злого Гения, дальше на сцену должны были идти мы с Андреем. Я, как и после первого акта, стояла в первой кулисе и ждала, пока Уваров выйдет с противоположной стороны, подаст мне руку и пригласит на сцену. Но он не появился. Из первой кулисы перебегаю в последнюю и начинаю его искать. Может, он где-то наверху? Нет! Я опять спускаюсь вниз. Ко мне подходит Коля и говорит:

— Настя, пойдем скорее, зрители ждут, я тебя выведу!

Вышла с Колей. Пригласили на сцену дирижера и Юрия Григоровича. А Принца все нет.

Закрылся занавес, Григорович кричит:

— Где Андрей? Что случилось?

Тут прибегает педагог:

— Андрей в гримерной. Плачет...

— Как плачет? Почему?! — ахнула я.

— Вы ждали Андрея не в той кулисе.

Никакие объяснения тогда не помогли: Андрей категорически отказался со мной танцевать. Недоразумения случаются постоянно, это ведь театр. Надо относиться к ним спокойнее. Были они у нас и с Колей Цискаридзе, но, слава богу, мы остались друзьями и партнерами.

Премьера «Лебединого озера» Григоровича состоялась второго марта 2001 года и имела невероятный успех. Вот как описывает свое впечатление американский балетный критик Нина Аловерт: «Я видела настоящий спектакль подлинного Большого театра... Весь балет станцован на одном дыхании. ...Я видела все ведущие балетные премьеры мира в последние десятилетия, но не помню, чтобы где-нибудь зал скандировал и кричал «браво» в течение сорока минут. И это относилось именно к Григоровичу. Мы стали свидетелями его безусловного триумфа». Через год после премьеры международное жюри единогласно присудило мне самый престижный балетный приз мира — «Benois de la Danse», или, как его еще

С мамой Тамарой Антоновой

Мне четыре года. Еще не балерина

С папой Юрием Волочковым

На первом курсе балетной
академии им. Вагановой

«Шехерезада».
Фарух Рузиматов.
Первая любовь в моей жизни

«Баядерка».
Махар Вазиев.
Партнер. Друг. Враг

Наталья Дудинская — человек-легенда

Инна Зубковская — мой педагог в Мариинском театре

Нина Семизорова — великолепная балерина, талантливый педагог и красивая женщина

В Токио с Минору Очи,
главным японским театральным промоутером

С графом Толстым
и дорогим моему сердцу Энтони Керманом

С высшей балетной наградой «Benois de la Danse», апрель 2002 г.

С Великой балериной на репетиции «Кармен-сюиты»

С моей любимой Майей и Родионом Щедриным после премьеры «Кармен-сюиты»

Екатерина Максимова — мой первый друг
и педагог в Большом театре

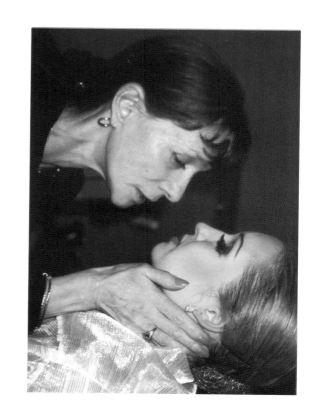

Мой ангел-хранитель —
Великий Маэстро Юрий Николаевич Григорович

«Лебединое озеро» в постановке Владимира Васильева

Могу быть разной — Одетта-Одилия
в «Лебедином озере»

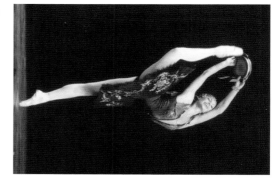

«Эсмеральда»

«Шехерезада» с ведущим
солистом Мариинского театра
Евгением Иванченко

«Шехерезада»

«Жизель»

«Дон-Кихот»

«Жизель»

«Корсар»

«Корсар»

«Баядерка»

«Кармен-сюита»

«Русский Гамлет»

«Кармен-сюита»
с Евгением Иванченко

«Спартак»

«Раймонда».
С дорогим для меня Николаем Цискаридзе

«Дуэт для одной».
Хореограф Владимир Анжелов

«Я ни о чем не жалею».
Хореограф Пол Чалмер

«Гибель богов. Вилисса».
Хореограф Эдвальд Смирнов.
Мой первый современный танцевальный номер принес мне главную премию на международном конкурсе. С него началась моя сольная программа

«Красная Жизель»
в постановке моего любимого хореографа Б. Я. Эйфмана

«Весна» с ведущим солистом Большого театра
Ринатом Арифуллиным

«Анна Каренина» с ведущим солистом
Театра Бориса Эйфмана Иваном Козловым

«Мастер и Маргарита» с Ринатом Арифулиным

«Золотая клетка»

Дети и автографы — самое лучшее занятие после концерта

Со зрителями перед началом концертной программы «Детям России» в Кремле. 2006 г.

В детской балетной школе. Саратов

В детском доме в Саратове.
После моего визита абсолютно всех детишек
вокруг меня взяли себе в семьи добрые люди

07.07.07. Свадьба века.

Невеста прибывает на воздушном шаре. А как иначе?

Я самая счастливая!
На балконе Екатерининского дворца в Царском селе

Примерка одного из пяти свадебных платьев

Венецианские гондолы и невероятно красивый фейерверк

Нас окружают десятки ангелов и репортеров

Мое любимое свадебное платье.
На лестнице Юсуповского дворца в Москве

V.I.V.A. Вдовин Игорь — Волочкова Анастасия.
Тогда мне казалось, что даже магия букв и цифр тоже за нас

Моя удивительная подруга Лариса Долина с мужем

С Михаилом Турецким,
его очаровательными супругой и дочерью

С великим композитором
и нашим общим другом Игорем Николаевым

Наши с Игорем замечательные друзья —
сенатор Александр Починок
и его очаровательная супруга Наташа

С крестным отцом
Ариши
Александром
Шохиным

Мой священный друг и источник вдохновения Паша Кашин!

Арише пять месяцев

На прогулке. Мой первый опыт материнства.
Дай бог, чтобы не последний!

Балерина
Ариадна Волочкова

Моя душа Ариша

Мы обе обожаем конные прогулки

называют, «балетный Оскар», за исполнение партии Одетты-Одиллии в постановке Григоровича.

В Большом театре существует традиция: на каждом этаже есть служительница, которая всегда сидит за порядком, ждет дополдня, до тех пор, пока последняя балерина не помоется в душе, не отдохнет в своей гримерной и не уйдет из театра. И одна из таких мудрых тетушек не раз останавливала меня и предупреждала: «Анастасия, когда выходите танцевать на сцену, закрывайте свою гримерную». Я, честно, не понимала, зачем, даже смеялась. Ну украсть-то у меня толком нечего! А служительница мне говорит: «Анастасия, что вы, что вы? Какие вещи? Какая косметика? Другого опасайтесь — что вам стеклышки в пуантики подсыплют или ленточки подрежут, иголочку в костюм вставят...» Конечно, я не верила — мало ли какие байки и страшилки в театре бродят! Но оказалась права лишь частично.

Однажды во время спектакля после «белого» акта в антракте, вернувшись в гримерную переодеться, я увидела, что, кажется, вместо моего костюма черного лебедя принесли похожий, но без украшений и камней, простой черный костюм артистки кордебалета. Потом смотрю — на лифе с обратной стороны написана моя фамилия. И тогда я поняла, что, пока я танцевала, кто-то срезал с костюма все камни и блестки. Конечно, это была чья-то завистливая пакость. Мне стало вдруг так омерзительно... Все-таки невозможно вытравить из коренного петербуржца чувство брезгливости к любой душевной мерзости. Мама тогда мне очень помогла. Она всегда приходила ко мне в гримерную в антракте. Когда я в расстройстве бросилась к ней с истерическим вопросом «Что делать?!», она сказала: «Как что? Танцевать! Выйдешь на сцену и докажешь, что не блестки украшают балерину, а мастерство и талант! Это не стразы — их никакой завистник украсть не сможет!» Я собралась и, помню, очень хорошо выступила. В очередной раз сама себе доказала, что любую неудачу можно перевести в удачу.

Весной 2001 года я почувствовала, что нахожусь на взлете своей карьеры. Повышенное внимание прессы, приглашения на юбилейные концерты знаменитых людей, телевизионные фильмы обо мне, интервью на центральных каналах телевидения и на страницах популярных журналов. На спектакли с моим участием стало трудно достать билеты. Кассиры говорили, что зрители идут на Волочкову. Мои концерты собирали самые большие залы Москвы и Петербурга. В этот период мне довелось познакомиться со многими выдающимися людьми искусства, политики, спорта и бизнеса. Еще никогда моя жизнь не была такой наполненной и интересной. И в это счастливое и успешное время я встретила человека, который сыграл такую неоднозначную роль в моей судьбе, что я до сих пор не могу полностью понять и оценить ее последствия.

С S. нас познакомили на банкете после одного из юбилейных концертов, в котором я принимала участие. На самом концерте, то есть в зале, S. не присутствовал и прежде никогда не видел меня на сцене, поскольку совершенно не интересовался балетом. Но, по его словам, он был заинтригован журнальными публикациями, телепередачами, а также отзывами обо мне тех, кто видел меня на сцене и в жизни. При первом же знакомстве этот человек произвел на меня приятное впечатление: внимательный умный взгляд, мягкий негромкий голос. Его внешность также понравилась мне. Высокого роста, одет с элегантной небрежностью. Мое внимание привлекли раскованная пластика его движений и его спокойный, независимый вид. Не могу сказать, что я мгновенно влюбилась. Это было не так. Мы много общались по телефону. Я узнала его как интересного собеседника, с которым можно говорить на самые разные темы. Видимо, эти телефонные разговоры позволили ему хорошо меня изучить. Сама я всегда искренна и открыта (возможно, излишне). Во всяком случае, я почувствовала очень сильный интерес со стороны S. И то, с какой прямотой, с каким вниманием он позднее ухаживал, невозможно было игнорировать. В результате я влюбилась до беспамятства.

Он окончательно покорил мое сердце, когда прислал за мной в Баку, где я находилась на гастролях, самолет, в котором не было ни одного свободного места — все кресла были заняты корзинами, полными свежих цветов. Весь салон благоухал нежнейшими дивными ароматами. Я задохнулась от неожиданности — до сих пор помню свой восторг. Так начался наш роман.

Вскоре я поехала в Петербург, чтобы встретиться с мамой и все ей рассказать. Вместо того чтобы порадоваться за меня, она очень обеспокоилась и даже испугалась. Она попыталась объяснить мне, как опасны могут быть отношения с мужчиной, родившимся на Кавказе и воспитанным в мусульманской семье. Мама говорила мне, что мой независимый, свободолюбивый нрав, моя неспособность быть покорной и терпеливой обязательно приведут к конфликту в наших отношениях. Что этот роман не будет счастливым, а неизбежный разрыв может оказаться серьезным потрясением для меня.

Я горько плакала и не желала ничего слушать. Я пыталась рассказать, какой он образованный, умный и уважаемый человек, какой он серьезный бизнесмен и как я горжусь его вниманием ко мне. Какой любовью и заботой он окружил меня! Мама отвечала, что ничуть не сомневается в его высоких достоинствах, раз он сумел занять такое положение в обществе. Дело совсем в другом — в несовместимости моего характера с теми требованиями, которые неизбежно этот мужчина будет предъявлять ко мне. Я не хотела верить ни одному ее слову. Мне казалось, что у нас все будет иначе и наша любовь преодолеет все препятствия. Мама предостерегала меня. Хотя я не раз имела возможность убедиться в безукоризненности ее интуиции, на тот момент отнощения с моим возлюбленным были настолько красивыми и гармоничными, настолько я парила в облаках, что просто посчитала ее опасения надуманными и чрезмерными.

Моя мама никогда не приветствовала появления в моей жизни близких мне мужчин. Она всегда испытывала ревность. Во многом я благодарна маме, потому что она воспитывала во мне внутреннюю дисциплину и направляла мое внимание на творчество и карьеру. Но все же мамино гипертрофированное чувство опасности за меня и ощущение, что все меня обманут, нанесут ущерб, воспользуются моим именем или достижениями, и сегодня зачастую доставляет мне много огорчений. Мне кажется, какова бы ни была продолжительность красивых и наполненных любовью и духовной силой отношений, важно наслаждаться праздником, светом и теплом, запоминая жизнь радостью встреч, а не горечью расставаний.

А тогда я впервые почувствовала себя совершенно счастливой женщиной — любимой, уважаемой и ценимой. Впервые ощущала, насколько сильной и страстной бывает любовь, и как она восхитительна, когда это чувство взаимно. Я впервые поверила, что отношения между мужчиной и женщиной могут быть идеальными. Но, как потом выяснилось, такие отношения редко бывают долгими.

Жизнь артистки балета насыщенна до крайности: ежедневные уроки и репетиции, спектакли, концерты, гастрольные поездки. Для встреч с любимым человеком оставалось не так уж много времени. Но и его работа поглощала почти все время суток, оставляя крохи для личной жизни. Сначала S. очень нравилось, что я занятый человек и что ему не надо постоянно придумывать развлечения для своей любимой женщины. И хотя он по-прежнему не интересовался балетом, мой успех у публики был ему приятен.

Лето и осень прошли у меня под знаком «Кармен-сюиты», о которой я столько мечтала и которую наконец получила возможность станцевать. Увлекательные репетиции с Гедиминасом Таранадой, а затем гастроли в лондонском театре «Садлерс-Уэллс», где я дебютировала в роли Кармен и где прошли пять моих больших трехактных сольных концертов, снова восстановили в моей душе забытое ощущение, что в моей жизни все хорошо.

Возвратившись в Москву, я почувствовала, что обстановка в Большом театре опять изменилась. На меня снова повеяло холодком. Состоялись новые назначения в руководстве театра. Григорович не остался в должности художественного руководителя балетной труппы. По всей вероятности, попечительский совет Большого не счел возможным выполнить условия, поставленные перед ним Великим хореографом.

На личном фронте также начались перемены. S. оказался чрезвычайно ревнивым человеком. К сожалению, это выражалось не только в отношении к мужчинам, проявляющим ко мне интерес, — он начал ревновать меня ко всему, даже к сценическому успеху. И постепенно я начала осознавать, что в его отношении ко мне стало проявляться чувство собственности. Как раз этого я перенести и не могла, не могла себе позволить быть при ком-то, потому что любая зависимость, любая несвобода убивают творческую личность.

До поры до времени мне льстило ревностное внимание моего возлюбленного ко всем моим шагам и поступкам, потому что я считала все это проявлением и подтверждением его любви ко мне. Но пришло время, когда я осознала, что жизнь с любимым человеком, испытывающим ко мне недоверие, совершенно невозможна для меня.

Серьезным испытанием для наших отношений стала моя поездка в Париж, где я должна была работать с педагогом-репетитором из «Гранд-опера». Я уехала в свой день рождения, когда S. не было в Москве. Но, как только я оказалась во Франции, он позвонил мне с требованием срочно вернуться. Для меня это было невозможно, поскольку я мечтала об этой работе в Париже очень давно. Звонки звучали непрерывно, начались угрозы. Затем появилась слежка — был нанят человек, который следовал за мной повсюду. Это было невыносимо — за моим автомобилем постоянно следовал «хвост», мой мобильный телефон прослушивался — просто триллер какой-то, — а ведь я не давала S. ни малейшего повода для сомнений или ревности.

Я была в отчаянии, мне стало трудно сосредоточиться на репетициях и работать с полной отдачей. Телефонные звонки с выяснением отношений не давали мне отдохнуть ни днем ни ночью. Однажды S. позвонил мне среди ночи, чтобы рассказать, что именно в этот момент он лично разбивает кувалдой подаренную мне машину.

Из Парижа я вернулась в Петербург, где слежка и телефонные угрозы продолжились. Все это было невыносимо. Я поняла, что ради своей любви я должна буду жертвовать и своей карьерой, и общением со всеми близкими людьми. С этим я не могла смириться. В нашу жизнь вошли серьезные конфликты. Но после каждой размолвки мой любимый умел совершать такие поступки, которые заставляли меня забывать все огорчения. И слова, которые я так хотела от него услышать, изысканные подарки и море цветов, короткие, но безумно яркие поездки... Его любовь проявлялась в самых невероятных сюрпризах.

В конце концов, окружение S. сочло, что наши затянувшиеся отношения — угроза их общему бизнесу. Им казалось, что он слишком отвлекается на меня от своих дел и перестал уделять бизнесу должное внимание. Мы прожили вместе два с половиной года, которые закончились бесповоротным разрывом. Я приняла решение уйти совсем.

И тогда в моей жизни начался настоящий кошмар. Когда люди по-настоящему близки, происходит слияние душ и сердец, и вместе с тем проживаемая единством жизнь становится откровением — естеством, когда не может быть тайн друг от друга — никаких. И люди открыты во всем! Так случилось и со мной... Я открыла своему возлюбленному как все самые сильные, так и слабые или очень важные для меня стороны... S. знал, когда я буду наиболее уязвима и за какую веревочку дернуть, чтобы рухнуло всё, достигнутое годами. Так и произошло...

Теперь я знаю, как бесчеловечно может мстить за разрыв отношений любимый мужчина. И в то же время я пыталась оправдать его, подчас не желая верить в его причастность к моим бедам, предполагая, что его поведение продиктовано порывом чувств.

Я не хотела верить, что любовь может приносить такие разрушения, да и мои чувства к S., честно говоря, тогда еще не угасли.

Чтобы спрятаться от страданий, я, как и всегда, с головой ушла в Балет. Мы с мамой уже несколько лет назад стали самостоятельно пропагандировать великое искусство балета. Ведь именно они — божественные музыка и танец — способны серьезно затронуть детскую душу и, возможно, уберечь ее от дурных влияний. Мы приглашали на мои сольные спектакли и концерты учащихся школ, воспитанников детских домов и военных училищ, а также посылали приглашения в детские больницы. Могу сказать, что это были мои самые искренние и самые благодарные зрители. Именно поэтому я с готовностью приняла предложение представителей крупного бизнеса России провести благотворительный бал в Екатерининском дворце Царского Села. Сбор от этого бала должен был поступить на счет Царскосельского детского дома. Организацию вечера взяла на себя моя мама. Я готовила свою большую сольную программу для концерта, а всем остальным занималась мама. Ей удалось создать великолепный, незабываемый праздник. Во всем чувствовалось благоговейное отношение мамы к тому прекрасному историческому месту, где происходил бал, — Тронному залу Екатерининского дворца, Камероновой галерее и парку с его аллеями и прудами.

Распорядителем бала согласился стать Святослав Бэлза. Благодаря его участию праздничный вечер приобрел еще более благородное и изысканное звучание. Главным событием вечера был, конечно, большой концерт, в котором я исполнила семь номеров, из них два — со своим любимым партнером Евгением Иванченко. Для участия в концерте были приглашены замечательные артисты: ведущие солисты оперной труппы Большого театра Елена Зеленская и Владимир Редькин, уникальный голос — контртенор Олег Безинских, обожаемый мною с детства автор-исполнитель Александр Дольский. И, наконец, совсем юная, с изумительной красоты и силы голосом — прекрасная певица Зара. В конце своего выступления она растрогала меня до слез, посвятив песню моей маме.

По окончании вечера нам с мамой довелось услышать столько слов благодарности и восхищения, что мы могли бы чувствовать себя совершенно счастливыми, если бы не пережитый нами накануне сильнейший стресс. Дело в том, что весь этот великолепный бал мог не состояться. За пару недель до намеченного дня, рассылая пригласительные гостям, я имела неосторожность послать пригласительную открытку S., с которым рассталась несколько месяцев назад. Своим поступком я хотела выразить ему благодарность за все то хорошее, что у нас с ним было. Однако он расценил это иначе. Мне рассказывали, что моя открытка страшно разозлила его: он воспринял ее как издевательство с моей стороны. И тогда начались совсем уже безобразные события. Прежде всего, исчезли большинство организаторов мероприятия и часть наших спонсоров. А за два дня до концерта я обнаружила, что мой московский офис в Петровском пассаже, где находились сценические костюмы и диски с музыкальными записями моих номеров, все фото- и видеоматериалы, закрыт на новый замок и опечатан, а вывеска с моим именем исчезла.

Этот офис пару лет назад я получила в подарок от S. Тогда я думала, что подарок — это навечно. И вот теперь, оказавшись перед запертой дверью, я решила пойти к владельцу Петровского пассажа — известному в Москве человеку, прежде такому любезному и обходительному со мной. Увидев меня, он холодно заявил, что совсем меня не знает и что никакого моего офиса в его Пассаже никогда не было. За два дня до бала я осталась и без костюмов, и без музыки. Чтобы спасти концерт, мы с мамой приняли решение срочно доставать костюмы и реквизит у знакомых артистов. К счастью, у одного из звукорежиссеров в компьютере сохранились нужные мне музыкальные записи. За день и в последнюю ночь перед балом моя портниха Ира успела сшить мне один новый костюм и перешила те, что принесли мои друзья.

Бал, несмотря ни на что, состоялся. Собранные средства были отправлены в детский дом г. Царское Село. Но мои проблемы, связанные с разрывом с S., на этом не закончились.

На протяжении пяти лет Большой театр был для меня большой опорой. Как мне кажется, это была моя первая и главная нить, за которую не только порвали, но и разом оборвали... Пользуясь влиянием и финансовыми возможностями. Я же не могла предвидеть такого развития событий и просто готовилась к новому сезону. Уже совсем скоро все возможные испытания — от личных до профессиональных — в одночасье сплетутся в один узел, который мне предстоит распутать и, может быть, даже погибнуть как личность.

До начала сезона в Большом театре у меня еще сохранились иллюзии, что все может наладиться. В афише театра значилось, что пятого сентября спектакль «Лебединое озеро» открывает сезон 2003/04 года, главные партии исполнят: заслуженная артистка России А. Волочкова и Е. Иванченко. На девятнадцатое сентября в афише стоял «Раймонда» с участием Николая Цискаридзе и меня. Кроме того, мы с Иванченко уже были в списках участников гастролей во Францию. Меня очень беспокоило только отсутствие контракта. Все солисты подписали свои контракты еще в конце прошлого сезона. А над моим, по словам дирекции, «все еще кипела работа».

До конца лета я много танцевала: спектакли в Петербурге, фестиваль в Италии, концерт в Монте-Карло и, наконец, в последних числах августа — две «Жизели» в Афинах. Мы с Женей Иванченко были довольны той балетной формой, в которой подошли к началу сезона. Расставаясь в московском аэропорту, мы договорились встретиться на репетиции первого сентября.

Пришла на репетицию, стала разогреваться. А партнера — Жени Иванченко — нет и нет. Звоню — телефоны не отвечают. Ни на второй, ни на третий день он так и не объявился. Волнуюсь ужасно. Женя мой друг и партнер уже десять лет. Что с ним?

Возвращаюсь домой после очередной репетиции, встревоженная мама протягивает газету. На половину полосы — интервью директора Большого театра Иксанова:

— Ты видишь?! Он говорит, что партнер Волочковой сбежал!

Я с отвращением отшвыриваю газету:

— Сбежал? Какая чушь!

Но мама уже протягивает следующую:

— А здесь он заявляет, что Женя в больнице! Ты что-нибудь понимаешь?

Нет, я ничего не понимала и пребывала в не меньшей растерянности, чем мама. Но искать объяснений было не у кого.

Оставалось ждать, как развернутся события, и репетировать. Я приезжала в театр и, все еще надеясь на чудо, все вариации и коды проходила сама. Когда мою работу просматривали на генеральной репетиции, балетный директор Борис Акимов лукаво улыбнулся:

— Вполне можешь одна танцевать «Лебединое». Даже без партнеров!

Но мне было не до шуток.

С каждым днем мое беспокойство за судьбу Жени все возрастало. Он все так же не отвечал на наши звонки. Все так же молчали и домашние, и мобильные телефоны. За день до спектакля я обратилась с письмом в дирекцию театра с просьбой назначить мне другого партнера. В этом же письме я просила выяснить судьбу Евгения Иванченко. Я уже не сомневалась, что с ним случилась беда. Меня очень удивляло спокойствие балетной администрации, которая не предпринимала никаких мер ни для поисков Жени, ни для срочного назначения другого партнера на спектакль, открывающий сезон.

Я сидела в гримерке и решала, к кому из ребят обратиться, когда раздался звонок:

— Анастасия? Это из балетной канцелярии.

— Как раз собиралась вам звонить по поводу партнера, — обрадовалась я.

— Можете не беспокоиться, — ледяным тоном перебили меня, — спектакль вы не танцуете.

Я замерла, сжимая в руках телефонную трубку. Объяснений не последовало.

Позже выяснилось, что все это время параллельно со мной к спектаклю готовилась другая пара. Все было продумано и решено администрацией театра, возглавляемой генеральным директором Иксановым, заранее.

О том, что случилось с Женей Иванченко, я узнала благодаря анонимному звонку.

— Настя, вы меня не знаете, — сказал незнакомец. — Женя Иванченко просит передать, чтобы вы не обижались. На него напали в подъезде, пригрозили, что если будет танцевать с вами в «Лебедином озере» — ему не поздоровится. И вообще запретили приближаться к вам.

Я не успела даже спросить: «Как Женя?» — трубку бросили. Мне стало очень страшно. Я поняла, что некогда любимый мною человек не простил меня, и следующий удар будет нанесен в самое больное, самое главное для меня — мое искусство.

Уже с первых дней сентября директор балетной труппы Геннадий Янин всячески пытался подсунуть

110

мне на подпись какие-то бумаги, которые он называл контрактом. При этом он прекрасно знал цену этому документу. Вот уж действительно надо было думать все лето, чтобы составить для меня такую пустышку. Во-первых, в ней не было гарантировано ни одного спектакля; во-вторых, действие этого «документа» ограничивалось четырьмя месяцами (только до нового, 2004 года). Спустя этот срок руководителем балета вместо Акимова должен был стать Алексей Ратманский. Подписывать такой контракт было равносильно смертному приговору. Я чувствовала, что от меня хотят избавиться. В контракте даже не было пункта, гарантирующего предоставление спектаклей на указанный срок. Мне не дадут танцевать, а потом придет Ратманский и вынесет вердикт: «Вы нам не нужны. Уборщица тетя Таня нужна, а вы нет». И я отказалась подписывать контракт «на выход».

— Не хотите — как хотите,— сказали в канцелярии и вырвали контракт из моих рук.

— Мне необходимо поговорить с директором...

— Господин Иксанов не хочет с вами встречаться,— с видимым удовольствием ответила бледная сотрудница с вытянутым лицом.— Решать, нужны ли вы театру, будет Ратманский.

— Дайте мне лист бумаги, пожалуйста, я напишу Иксанову письмо.

— У нас нет для вас бумаги,— заявили мне, хотя целая пачка лежала тут же, возле принтера.

Тогда я сама, обнаглев от отчаяния, взяла два листка и, положив их на подоконник, написала: «Прошу предоставить мне контракт на равных со всеми условиях. На звание заслуженной артистки России меня выдвигал директор Большого театра. Странно,

111

что теперь та же дирекция не желает подписывать со мной стандартный контракт».

Пятого сентября 2003 года, в день открытия сезона, я специально пришла в театр, чтобы зрители видели: Волочкова жива и здорова. Везде висели афиши с моим именем, и в кассах продавали билеты под мое участие. Объявление о замене разместили в фойе: извините, мол, сегодня танцует другая балерина.

Многие из зрителей вышли обратно на улицу и сделали самодельные плакаты: «Верните Волочкову на сцену!» Балетоманы — люди мирные, но руководство Большого усмотрело в их действиях некую угрозу и... спешно вызвало милицию.

Я пыталась как-то защитить их, но меня никто не слушал. Когда демонстрантов разогнали, я вошла в театр.

— Настя, — кто-то дернул меня за руку и затащил за колонну.

— Привет...

Я смотрела в глаза своему коллеге по театру и не могла понять его беспокойства.

— Иксанов вчера собрал всех солистов, — зашептал он, оглядываясь, — и потребовал, чтобы мы все подписали письмо, что отказываемся с тобой танцевать.

— Как это?

— Ну, что, мол, с тобой работать невозможно. Только, ради бога, не рассказывай никому, что узнала об этом от меня, а то сожрут.

Впереди у меня еще был афишный спектакль «Раймонда». Я начала репетировать его с Колей Цискаридзе, который взял на себя также и обязанности педагога-репетитора, поскольку мои педагоги (на всякий случай) отказались со мной работать, почувствовав нестабильность моего положения в театре. У нас с Колей все получалось, и мы были очень довольны совместной работой.

Неожиданно, в самый разгар репетиции, меня вызвали к Иксанову. В течение последних семи месяцев я безуспешно пыталась попасть к нему на прием. И вот он вызывает меня сам, причем делает это за три дня до «Раймонды».

В своем кабинете Иксанов предложил мне выбирать: либо пустышку, называемую контрактом, либо приказ об увольнении. Я выбрала увольнение. При этом я надеялась, что по закону смогу в течение двух недель приходить в театр для ежедневных занятий классом, без которых не может существовать артист балета. Но я недооценила восточное коварство этого человека.

— Можно узнать, по какой причине вы меня увольняете? — Хоть я и чувствовала, что так будет, но к удару оказалась все-таки не готова.

— Ваш контракт истек. — Церемониться со мной явно не собирались.

— Насколько я знаю, по закону вы должны были предупредить меня об этом за две недели! — Я пыталась себя отстоять. — Можно мне хотя бы в течение положенных двух недель, пока я не подыщу другое место для репетиций, приходить в театр и заниматься классом, чтобы не выйти из формы?

С явным злорадством Иксанов заявил, что моей ноги уже два с половиной месяца не должно быть в театре, и продемонстрировал мне дату увольнения — оказалось, что уволили меня задним числом, еще тридцатого июня.

Как такое может быть? Ведь мое имя значилось в афише театра и пятого, и девятнадцатого сентября? Стало очевидно, что Иксанов даже не пытается соблюсти закон и приличия, — приказ был состряпан совсем недавно, причем на скорую руку. Помню, что у меня тогда даже голова закружилась и слезы подступили к глазам. Но я подняла голову повыше и сказала как можно спокойнее:

— Не думаю, что наш разговор окончен.

Выйдя из дирекции, я немедленно приняла решение подать в суд на директора Большого театра, чтобы отстоять свою честь и достоинство в глазах зрителей. Обращаясь в суд, я защищала не только свои права — мне было важно создать прецедент, чтобы и другие артисты могли бороться с самоуправством театральных начальников. Я отлично понимала, что все происходящее не является инициативой Иксанова, догадывалась, от кого именно шли телефонные звонки с требованием убрать меня. Однако, подавая в суд именно на директора театра, я считала, что отвечать за решения должен тот человек, который их принимал. То есть директор театра. Причем отвечать публично. Большой театр — это государственный театр, а не частная лавочка, где любой олигарх может указывать директору, как ему поступать, кого уволить, кого принять на работу.

Я бросала вызов той гнилой конструкции, в которую превратился Большой театр, гордость многих поколений России. Я бросала вызов той унизительной обстановке, которая возникла по отношению к артистам Большого театра во время правления Иксанова. Я считала недопустимой ситуацию, когда имеющий деньги и власть может внедряться в творческий процесс театра, диктовать его репертуар, распределять роли среди артистов или указывать директору, какая балерина театру нужна, а какая нет. Я глубоко уверена, что в бытность Юрия Николаевича Григоровича художественным руководителем подобное никогда не могло бы случиться.

Дело было не только во мне. Большой театр Иксанова стал жить по законам, далеким от искусства. Чего стоят постоянные тусовки со «спонсорами» или другими нужными людьми! Балеринам предлагают добровольно-принудительно их посещать, предупреждая, что после мероприятия обязательно состоится банкет. Если девочка отказывается, ей объясняют, что на гастроли она больше может и не поехать. Если проявит характер еще раз, у нее есть все шансы вылететь из театра. Балерина Волочкова с ее особенно острым ощущением собственного достоинства не вписывалась в эту систему.

Сумму компенсации за причиненный мне Иксановым моральный ущерб, я определила в один рубль, потому что боролась не за деньги, не за право вернуться в Большой театр. Мой иск был направлен лично против директора театра. Против самого театра я никогда ничего не имела.

Поле боя не ограничилось залом заседаний суда. Я прекрасно понимала, что возможности влиятельных людей не ограничиваются Театральной площадью. В травлю Волочковой стали включаться самые принципиальные деятели, известные своей «твердостью» и «принципиальностью». Особенно нелепо выглядел ныне бывший министр культуры Швыдкой. Еще года не прошло, когда он, удостаивая меня звания заслуженной артистки России, произносил слова, о которых мечтает каждый артист: «выдающаяся балерина» и «честь и гордость России». Теперь же он направо и налево в интервью стал утверждать, что мое место — «четвертый лебедь в кордебалете в самом последнем ряду».

Можно только гадать, так ли сильно ненавидели меня Иксанов и Швыдкой или они только только исполняли волю могущественного кукловода. Между тем число желающих попинать Волочкову стало расти. Автор и ведущий программы «К барьеру» Владимир Соловьев пригласил меня и генерального директора Большого театра Иксанова на дуэль в прямом эфире. Наше противостояние приобрело национальный масштаб, всем надоело читать отдельные комментарии действующих лиц конфликта, и только теледебаты могли бы продемонстрировать зрителю, на чьей стороне правда.

Я была уверена в своих силах и была готова силой ЗАКОННЫХ аргументов разбить любые нелепые и оскорбительные реплики по поводу моего веса, роста, характера и отсутствия партнеров. Какое разочарование — вместо струсившего Иксанова в студии появился Александр Гафин — тогда вице-президент «Альфа-банка» и член Попечительского совета Большого. О его роли в жизни Большого театра, да и о Попечительском совете я тогда ничего не слышала.

Позже я узнала, что туда входят люди из числа состоятельной промышленной и банковской элиты. И вот теперь Гафин заявил, что пришел вместо директора театра не случайно. Оказалось, что Иксанов не имеет права без согласования с Попечительским советом делать никаких заявлений в СМИ. Какое своевременное замечание после десятков заявлений Иксанова обо мне!

116

Не будучи в теме юридических сторон моего конфликта с Большим, Гафин за всю программу не смог ответить конкретно ни на один мой вопрос, укрываясь статусом «попечителя». Из его слов никто так и не понял, кто, за что и ради кого меня уволил из Большого театра. Гафин утверждал, что «бренд Анастасия Волочкова вошел в противоречие с коммерческими интересами Большого театра». Попечительский совет якобы усмотрел для себя вред в том, что публика стала ходить не только на мои сольные концерты, но и в Большой театр — на Анастасию Волочкову. Вы что-нибудь поняли? Я — нет. Вместо разъяснений Гафин предлагал всем соблюдать закон, но, как вскоре доказал суд, закон был не на его стороне. А тот эфир «К барьеру» доказал всем, что мои профессиональные данные не имели никакого отношения к моему увольнению.

Эту дуэль я уверенно выиграла, а сама программа показала всем зрителям, что решения о том, какой балерине танцевать на сцене Большого, а какой нет, принимают толстосумы, а не люди искусства.

Судебные заседания освещались в прессе каждый день. Я пыталась не унывать, но в душе очень переживала. Потому что видела: в борьбе с несправедливостью я осталась совсем одна.

Адвокаты Иксанова очень старались в процессе отбеливания своего клиента, цеплялись за несущественные мелочи, иногда загоняя самих себя в нелепые ситуации. На одном из документов, присланных моей стороной, значилось не «А. Ю. Волочкова» — Анастасия Юрьевна, а А. О. Волочкова. Это была сделанная на ксероксе копия, и палочка от буквы «Ю» элементарно не пропечаталась, однако юристы Большого не отступали — требовали не принимать документ из-за якобы неправильно написанного отчества. В конце концов, они сами напросились. Я встала и сказала, что в таком случае все документы за подписью Иксанова нужно признать недействительными, потому что по паспорту он никакой не Анатолий Геннадьевич, а Тахир Гадельзянович. Все присутствующие чуть не упали со стульев от смеха. Все в Большом театре знали, как зовут директора, но лишь немногие удивлялись — зачем он скрывает свое настоящее имя?

Процесс я все-таки выиграла. Решение суда было однозначным: он постановил восстановить меня в Большом театре в прежнем статусе ведущей балерины. На работе меня восстановили. Но я понимала, что танцевать в Большом театре мне больше не дадут. Убедилась я в этом в Дании, куда приехала в гости к своему партнеру и другу, солисту Королевского датского балета Кеннету Гриву. Как-то случайно мы встретились там с Алексеем Ратманским — будущим балетным директором Большого. Кеннет нас познакомил. И я спросила:

118

— Скажите, Алексей, смогу ли я и впредь танцевать в Большом те же балетные партии, что и раньше?

— Вы не классическая балерина,— ответил мне тогда Ратманский.— ...Правда, я никогда не видел вас на сцене...— помявшись, добавил он.

Я, конечно, была в недоумении, как можно заявлять подобное, даже не представляя балерину в работе. Понять логику Ратманского мне было не под силу. Великий хореограф Юрий Григорович считает, что я — классическая балерина, и дает мне танцевать все свои главные партии, а Ратманский вычеркивает меня из балета, даже не видя, как я танцую. Но решила свое удивление ему не демонстрировать. И предложила:

— Приходите ко мне в зал на репетицию и устройте просмотр или экзамен как учение. Я станцую для вас вариации, фрагменты или целиком балет «Лебединое озеро». Персонально для вас, Алексей. И вы мне как профессионал скажете, могу я танцевать подобные спектакли на сцене Большого или нет.

Ратманский засмеялся:

— Ну что вы, Анастасия, как же я могу вам сказать, что вы не можете?!

Беспечно улыбаясь, этот человек еще раз подтвердил, что я больше ничего не смогу станцевать в Большом театре...

Иксанов не смирился со своим поражением. Мне выдали пропуск в театр, но ни один спектакль мне не был возвращен. Мое имя было вычеркнуто из всех гастрольных поездок. Мне намеренно предлагали

партии второго плана, никогда не бывшие в моем репертуаре, в расчете на мой отказ.

Самым болезненным для меня было запрещение
работать в репетиционных залах театра, а также отказ
администрации пропускать в театр хореографов и партнеров из других театров, приходивших работать со
мной.

Все эти драконовские действия администрации
театра проходили на фоне неслыханной скандаль-
ной шумихи, которую вызвал сам директор театра.
В своих телевизионных выступлениях, оправдываясь за проигрыш в суде, Иксанов обнародовал
чудовищные размеры уволенной балерины Волочковой. Из его слов я узнала, что за последний месяц
выросла на десять сантиметров и теперь мой
рост — один метр восемьдесят сантиметров. А вес
стал таким, что он, Иксанов, боится за здоровье
своих артистов, поэтому не может назначить мне
партнера. Отсутствие Евгения Иванченко он объяснял серьезной травмой, полученной им во время
танца с Волочковой, что и привело несчастного артиста в больницу. Когда через несколько дней вся
страна увидела по НТВ, что Женя благополучно
танцует на гастролях в Тбилиси, у Иксанова нагото-
ве уже была новая версия — оказывается, Иванченко сам прислал ему еще летом заявление об отказе
работать со мной. Но тогда почему г-н Иксанов, как
порядочный администратор, сразу не сообщил мне
об этом, чтобы я не ждала своего партнера на репетициях?

Продолжая тупо множить прежнюю клевету обо
мне как о балерине, невидимые режиссеры управля-
ли неиссякаемым потоком черного пиара. Меня ме-

тодично уничтожали как личность, тенденциозно комментируя каждый мой шаг, искажая в неблаговидном свете не только мою внешность, но и все мои поступки и намерения.

Большим испытанием для меня стал затянувшийся на долгие годы грубо инспирированный суд по поводу ремонта моей петербургской квартиры. Какой благодатный материал, какую кормушку получила желтая пресса! Всем, кто меня знал, было понятно, что навязанный судебный иск имел целью лишить меня душевного равновесия, истрепать мне нервы и нанести болезненный удар по моему имени и действительно вывести из профессиональной формы.

Телевидение и бульварная пресса всячески смаковали любые подробности этого судебного дела. Самым отвратительным и беззаконным стал факт проникновения в мою квартиру — кто-то заснял на видеокамеру интерьеры и передал их средствам массовой информации. Нисколько не гнушаясь ворованным материалом, телевидение стало демонстрировать эти кадры по своим каналам, снабжая их издевательскими комментариями. Почему-то редакторам телепрограмм не пришло в голову, что их поступок безнравствен и аморален.

Я могла рассчитывать только на здравый смысл. Большинство людей, в том числе и судьи, прекрасно знают, что никто не станет ремонтировать квартиру в долг и годами ждать расчета. После изнурительных трех лет судебной волокиты этот процесс, наконец, исчерпал себя.

В то время как судебный процесс с петербургской квартирой еще продолжался, на меня надви-

121

нулась новая напасть. Я была снова вызвана в суд, на этот раз в Москве. Человек, продавший мне квартиру на Петровке три года назад и навсегда уехавший в Израиль, вдруг «вспомнил», что я ему, оказывается, за нее не заплатила. Теперь он требовал вернуть ему эту квартиру. Все документы о покупке были у меня в порядке, на руках был законный ордер на жилье, тем не менее, новое судебное разбирательство длилось почти два года, пока не развалилось само собой. По всей видимости, основной целью всех этих процессов было создание мне репутации скандалистки. Кампания набирала обороты, с каждым днем становясь все более оголтелой. В руках режиссеров были власть, деньги и средства массовой информации — любая клевета распространялась легко и быстро.

Технически я совершенно не боялась судебных процессов. Я была уверена в своей правоте и в том, что все закончится хорошо (так, кстати, и получилось.). Меня раздражала и выматывала только необходимость постоянно объясняться с судебными приставами и оправдываться. В народе же как говорят? Нет дыма без огня. А ведь цель любой пиар-кампании и состоит в том, чтобы создать «дым без огня». К сожалению, немногие это понимают. Все эти «квартирные» процессы были направлены на то, чтобы отвлечь внимание общественности от моего иска к Иксанову.

Моим спасением оставался балет. Каждый день, репетируя и разучивая новые номера, я забывала о дикой травле, которой подвергалась в то время. На сцене я жила другой жизнью. И в этой другой жизни я была счастлива!

До сих пор, вспоминая эти события, я не могу освободиться от чувства отвращения и презрения. С легкой руки директора Большого театра мой рост и вес стал одной из любимых тем, обсуждаемых в прессе и на всех каналах телевидения. Кто только ни изощрялся по этому поводу. Хочу отдать должное зарубежным журналистам, которые не приняли на веру комментарии Иксанова. Мой телефон разрывался от их звонков с просьбами об интервью. Однажды мне позвонили журналисты из «Нью-Йорк Таймс» и попросили о встрече, желательно где-нибудь в малолюдном кафе. Я назначила встречу в ближайшем от дома маленьком ресторане. Каково же было мое удивление, когда я увидела, что эти журналисты ждут меня с рулеткой и напольными весами. Возмущенная такой бестактностью, я хотела немедленно уйти. Я просто опешила:

— Что это вы задумали?!

— Нам надо вас измерить! — безапелляционно заявил один из них.

— Да вы что, с ума сошли?! Это верх бестактности! Почему меня надо измерять прилюдно в общественном месте!

— Если мы это сделаем сейчас при свидетелях, а потом опубликуем результаты в нашей газете, в

123

информации никто не усомнится, и вы будете реабилитированы. Мы просто хотим разобраться в ситуации. Мы видели вас в «Лебедином озере», «Баядерке», «Дон-Кихоте», вы были в прекрасной форме. Как можно вырасти сразу на десять сантиметров и поправиться на двенадцать килограммов?!

Эти доводы убедили меня. По данным «Нью-Йорк Таймс» мой рост оказался метр шестьдесят восемь. Что касается веса, то он не превысил пятидесяти килограммов. Эти данные считаются очень хорошими для современной балерины. В том же Большом театре есть сколько угодно артисток балета намного выше меня ростом.

Честно говоря, после зарубежных публикаций мне действительно стало жить намного легче. Я ощутила, что в противовес тем людям, которые охотно распространяли обо мне сплетни и лживую информацию, есть не меньшее количество тех, кто готов оказать поддержку, да и просто проявить обыкновенное человеческое сочувствие.

Я благодарна всем иностранным изданиям, которые напечатали правду обо мне и тем самым поддержали меня в глазах своих читателей. Я знаю, что у многих людей и в нашей стране, и за рубежом моя судьба вызывала искреннее сочувствие. Японские тележурналисты, следившие за моим творчеством с первых моих шагов на сцене, и в этой ситуации оказались первыми, кто позвонил и поддержал меня. Олег Михайлович Виноградов рассказывал мне, что, в какой бы части света он ни появился со своей труппой, везде его спрашивали о судьбе балерины Волочковой. Помню, что ребята моей труппы, вернувшись с гастролей из Японии, рассказывали, как токийский таксист, распознав в них танцовщиков из России, спросил: «Вы не знаете, как обстоят дела у Анастасии Волочковой?»

Весь мир увидел, что, если бы у руководства Большого театра действительно хоть одна реальная причина для моего увольнения, они бы ею воспользовались ранее. И им не пришлось бы опускаться до откровенной лжи, подтасовки фактов и действий, граничащих с уголовщиной.

Самое страшное для меня — то, что меня попытались замариновать в профессиональном бездействии, «перекрыть кислород» как постоянно танцующей на сцене балерине. Я щедрыми горстями получала отказы от руководителей театральных сценических площадок по всей стране. Тогда мы с мамой придумали способ преодолеть многочисленные отказы: мы стали проводить благотворительные концерты, никто не мог найти причину для отказа, и я могла танцевать. Мало кто мог отказать в проведении благотворительного концерта для детей. Морально это здорово выручило меня в тот период. Хотя и здесь не обходилось без эксцессов.

Мне важно было как-то ответить на все нелепые обвинения в мой адрес — от приписываемых мне невероятных веса и размеров до нежелания работать со мной моих партнеров и вообще артистов, и к тому же упреков в том, что я не классическая балерина... Таким ответом могла стать большая концертная шоу-программа, чтобы мой зритель мог составить собственное впечатление о моем творчестве и профессиональных возможностях. Была осень, о свободной дате в концертных залах даже мечтать не приходилось. И как всегда, слыша слова: «Это невозможно, нереально», — я понимала: только не для меня! Так случилось и в этот раз: один эстрадный исполнитель отказался от двух дат в Кремле. В течение месяца мне предстояло подготовить новую масштабную концертную программу со множеством декораций и спецэффектов.

Эти концерты в Кремле были чрезвычайно важны для меня. Я хотела, чтобы как можно больше зрителей увидели меня на сцене, потому что ангажированная пресса продолжала распространять обо мне заведомую клевету и ложь.

Либретто спектакля «Лестница в небо» написал хореограф Эдвальд Смирнов, включив в него сюжеты и персонажи, в которых легко угадывались конкретные люди и события, переживаемые мною в данное время.

Спектакль получился масштабным, в нем было занято множество актерских коллективов, около семидесяти артистов. По всеобщему признанию, большим достоинством спектакля «Лестница в небо» была та легкая ирония и замечательный юмор, с которым разыгрывался сюжет. Зрители это отметили и оценили.

Для меня было важно, чтобы зрители увидели меня танцующую и классику, и современные номера.

Мне предстояло станцевать полностью «Белый акт» из классического балета «Лебединое озеро» и еще десять хореографических композиций. Притом в спектакле были заняты четыре партнера, с каждым из которых у меня сложился отличный дуэт. Зрители могли убедиться, насколько легко мы выполняем все, даже самые высокие поддержки. Я благодарна этим людям, которые, несмотря на все угрозы, продолжали танцевать со мной, и в этом я вижу их настоящее благородство, актерскую солидарность и дружескую поддержку.

Огромное наслаждение я получила, работая с французским хореографом, бывшим солистом «Гранд-опера» Полом Чалмером. Он поставил мне номер «Я ни о чем не жалею» на музыку трех песен Эдит Пиаф. Эту тему и эту музыку я выбрала сама. У Пола Чалмера первоначально были совсем другие планы. Я договаривалась с Полом о нашей совместной работе еще весной 2003 года. Приехав осенью в Москву, он, по его словам, боялся встречи со мной. Пол был уверен, что та жестокая клеветническая кампания, которую направили против меня, неизбежно должна была сломать и раздавить любого, даже самого сильного человека. Он думал, что сначала же ему придется выводить меня из этого состояния, то есть оказывать психологическую помощь. И как же он был поражен, увидев, что я полна энергии и желания немедленно начать работать. Пол признался, что музыка, которую он привез, совсем не подходит для такой сильной духом женщины, какой я оказалась. Услышав мое предложение использовать песни Пиаф, Пол согласился, сказав: «Это именно то, что сейчас тебе надо». Так был создан триптих «Я ни о чем не жалею». Этот жизнеутверждающий номер я почти всегда включаю в свою концертную программу.

Нужно сказать, что оба дня многотысячный зал Кремлевского дворца был заполнен. Но какое мощное и безобразное по своим методам сопротивление на каждом шагу пришлось преодолевать организаторам концертов!

Положение с продажей билетов прояснил звонок нашего доброго и заботливого друга Марии Борисовны Мульяш. Она предупредила нас об организованном кем-то саботаже в билетных кассах: продажа билетов на Волочкову грозила кассирам увольнением. В это невозможно было поверить, ведь в Москве несколько сотен театральных касс! Но, объехав город, мой директор убедился, что билеты на Волочкову во многих кассах действительно не продают. Делается это уже отработанным способом: если человек просил первые ряды партера, то ему отвечали, что у них остались только самые дешевые места; и наоборот, человеку, просившему билеты на галерку, отвечали, что у них остались только самые дорогие билеты в партере.

Но саботаж билетных касс оказался далеко не единственной мерой по срыву концерта. В день концерта моей маме пришлось пережить и преодолеть еще много почти безвыходных ситуаций. Вряд ли мы смогли бы что-то сделать без активной помощи моих друзей, которые вовремя вмешивались и останавливали начавшийся беспредел: отключение электричества, остановка лифта, запрет ввоза реквизита и прочее, прочее, прочее.

Я узнала обо всем этом уже после концерта. Моя мама, как всегда, позаботилась о том, чтобы ничто не отвлекало меня и не нарушало мой душевный настрой до выхода на сцену.

После спектакля «Лестница в небо» я надеялась, что теперь-то в моей жизни все изменится к лучшему.

Наверное, с точки зрения победительницы, выигравшей судебный процесс, можно было махнуть на прошлое рукой. Рассказывая об этих невеселых днях, я не ищу сочувствия, я хочу понимания. Мне кажется, люди должны просто знать, чего мне стоила эта самая победа, и осознавать, через что им, возможно, когда-нибудь придется пройти, столкнувшись с более сильным противником. И если они решатся отстаивать свои права перед какой-либо могущественной социальной структурой, то должны быть готовыми еще и к тотальному одиночеству. Многие друзья покинули меня в годы противостояния с Большим. Другие заняли выжидательную позицию — если Волочкова победит, мы с флагами придем и скажем: «Это благодаря нам! Это же мы за тебя болели!» А если проиграет, пожмем в недоумении плечами: «А мы ее и не знали. Кто такая?» По-настоящему поддерживали меня только мама и со всем немного самых близких людей.

Все это время моим главным покровителем оставался мой зритель. Простые добрые люди, которые встречали меня на улице, в магазине, в храме, говорили мне добрые слова, утешали, плакали вместе со мной. Были рядом. К счастью, мой главный покровитель и сейчас со мной.

Когда моя безумная тяжба с Большим только начиналась, мне практически сразу же позвонил Юрий Николаевич Григорович и предложил стать примой-балериной его Театра балета в Краснодаре. Согласилась, даже не думая особо. Помню, что его звонок случился седьмого марта 2004 года, а восьмого марта я уже танцевала «Лебединое озеро» на сцене Театра балета Григоровича.

Больше всего в Театре балета Григоровича меня поразил высокий профессиональный уровень совсем молодого коллектива. К тому времени театру едва исполнилось восемь лет. Надо сказать, что Театр Григоровича — это исключительный случай создания авторского театра. В репертуаре коллектива — только балеты Юрия Николаевича, и сейчас их уже пятнадцать.

Конечно, в одиночку Григоровичу было бы не под силу воплотить в жизнь такой грандиозный замысел, не имея ни сложившегося балетного коллектива, ни репетиционных помещений, не говоря уже о самом театре. Но судьбе было угодно подарить ему встречу с настоящим подвижником культуры и искусства — талантливейшим организатором, руководителем творческого объединения «Премьера» Леонардом Григорьевичем Гатовым, ставшим его ближайшим соратником и единомышленником.

За короткий срок Гатову удалось построить фактически на пустом месте прекрасный театр, оснащенный по последнему слову театральной техники.

Здесь необходимо отдать должное молодому и энергичному губернатору Краснодарского края Александру Ткачеву, который очень серьезное внимание уделяет развитию культуры Кубани. Чтобы привлечь в театр талантливых артистов, музыкантов оркестра, педагогов, Гатов позаботился о создании им хороших бытовых условий и всего необходимого для плодотворной работы. Совместными усилиями двух выдающихся людей возникло это уникальное явление, составляющее особую гордость Кубани, — Театр балета Юрия Николаевича Григоровича.

Сейчас этот театр достиг академического уровня и мирового признания. Все спектакли, составившие славу русскому балету XX века, гениальные творения великого балетмейстера идут на краснодарской сцене.

Для любого артиста балета участие в постановках Григоровича — всегда большая честь и несомненная удача. Я не устану повторять, что для меня настоящее искусство не там, где большие театры, а там, где великие личности и профессионалы — такие как Юрий Николаевич. За ним я готова следовать куда угодно и быть его сподвижником во всех начинаниях и проектах.

Перенося свои балеты на сцену нового театра силами молодой труппы, Григорович не делает никаких послаблений и купюр. Новым редакциям своих балетов Григорович придает современное звучание, обогащая и усложняя хореографию. Именно в этом театре мне удалось осуществить свою мечту — станцевать партию Эгины в балете «Спартак».

Я готовила эту партию с педагогами-репетиторами краснодарского театра Ольгой Николаевной

Васюченко и Олегом Давыдовичем Рачковским — верными помощниками Юрия Николаевича еще со времен Большого театра. Они последовали за своим Учителем, оставив в Москве свои дома и семьи. Их совместной работе уже сорок лет.

Я считаю уроки классики Рачковского самыми сильными и в некотором смысле уникальными. Эти уроки дают так много для развития личности балетного артиста и его мастерства, что становится понятно, каким образом за совсем короткий срок был создан высокопрофессиональный коллектив.

Каждая премьера в Театре балета Григоровича — безусловно, колоссальное культурное событие для Кубани и для искусства вообще. Я убедилась в этом, участвуя в премьерах «Спартака», «Корсара» и «Жизели». В настоящее время мой репертуар в театре Григоровича состоит из шести балетов: «Лебединое озеро», «Баядерка», «Дон-Кихот», «Спартак», «Корсар» и «Жизель». Эти балеты я всегда танцую с большим волнением и чувством особой ответственности перед гениальным балетмейстером и перед краснодарской публикой, с которой, как мне кажется, у нас возникла настоящая взаимная любовь.

Невозможно забыть то фантастическое поздравление в связи с рождением моей Аришеньки, которое мне устроили на краснодарской сцене. Через полтора месяца после родов я вышла на эту сцену в балете «Баядерка». В финале на поклонах после бурных аплодисментов зал вдруг замер, раздалось восторженное «ах» и все зрители как по команде подняли вверх головы. Вслед за ними я невольно взглянула вверх и увидела, что на меня спускается чудо — настоящая плетеная детская люлька, полная мягких игрушек и цветов.

Я едва сдержала слезы! Стоя на сцене, чувствовала себя в тот момент такой счастливой. Разве можно русской балерине просить у Бога что-то еще?

Судьба артиста неотделима от его творчества. Основная идея либретто балета «Лебединое озера» состоит в том, что зло можно легко перепутать с добром, а черное — с белым. Мне же пришлось много раз убеждаться в правильности этого утверждения...

Глава 3

«КАРМЕН»

Она — символ жизни, беззаботной, как
цветок гвоздики, брошенный в воздух, чтобы упасть, окрашенным кровью, на нена-
сытную арену.

А. Вознесенский

Я люблю почти все свои партии. И когда начинаю
рассказывать о каждой отдельно, создается впечатление, что именно эта роль, эта героиня, этот балет —
самые любимые. На самом деле, каждая партия не-
повторима. И в процессе репетиций, разучивания
есть элементы ухаживания, влюбленности, постепенного проникновения в суть образа, который концент-
рирует все твои чувства. Но каждый образ при этом
является особенным.

Однако партия Кармен для меня навсегда останется уникальной. Есть такое выражение: «Сошлись
все звезды». Вот в «Кармен-сюите» для меня сошлись все звезды. Мы с героиней близки характера-
ми. А чего стоит трогательная и величественная история превращения оперы Бизе в балет! Это было
сделано композитором Родионом Щедриным не

только для великой балерины Майи Плисецкой, но еще и для любимой женщины.

Не могу сказать точно, когда я впервые увидела запись балета «Кармен-сюита». Помню только, что именно мама поставила кассету и предложила мне ее посмотреть. То, что я увидела, вызвало у меня восхищение. Образ Кармен, да и весь балет, поразил мое воображение невиданной мною ранее откровенной и яркой чувственностью и совершенно не похожей на привычную классику хореографией. О том, чтобы танцевать в этом балете, я тогда не могла даже и мечтать.

Я преклоняюсь перед талантом, силой, чувством собственного достоинства и упорством Майи Михайловны. О ней можно многое рассказать: об учебе у самой Агриппины Яковлевны Вагановой, о ее принципе, почерпнутом у Коко Шанель: «Не смиряйтесь, до самого конца не смиряйтесь. До последнего момента не сдавайтесь, боритесь, воюйте» (что является и моим жизненным девизом), — о сотрудничестве с Пьером Карденом, об удивительном чувстве моды и стиля. Я считаю ее Великим Учителем Жизни. Ведь есть Учителя, которые учат нас примером своей жизни, своими поступками, достойным поведением в сложных обстоятельствах. Вспомнить хотя бы ситуацию 1967 года, когда комиссия во главе с тогдашним министром культуры Фурцевой запретила этот балет. И премьера состоялась лишь благодаря тому, что постановщик — известный кубинский хореограф Альберто Алонсо — был лично знаком с Фиделем Кастро.

Я бесчисленное количество раз просмотрела видеокассету с «Кармен-сюитой» в исполнении Майи

Плисецкой. Но, честно говоря, не осмеливалась и думать, чтобы обратиться с просьбой к Майе Михайловне разрешить мне танцевать партию Кармен, поскольку раньше она официально не давала такого права ни одной русской балерине. К счастью, моя мама считала иначе и оказалась права.

На этот шаг решилась моя мама. Она напомнила мне, как Майя Михайловна и Родион Константинович с большой теплотой и симпатией говорили обо мне после премьеры спектакля «Конек-Горбунок». Этот балет был поставлен в Большом театре весной 1999 года хореографом Андросовым на музыку Родиона Щедрина. Именно с подачи Плисецкой и Щедрина меня взяли на роль Царь-Девицы. В прежней постановке балета «Конек-Горбунок» партию Царь-Девицы с блеском исполняла сама Майя Михайловна.

Лестные отзывы обо мне этой легендарной пары позволили маме набрать номер их телефона и обратиться к ним с просьбой о «Кармен-сюите». К моей огромной радости, Майя Михайловна сразу же согласилась и благословила меня на эту роль. Был составлен договор, подтверждающий ее согласие на мое исполнение роли Кармен в «Кармен-сюите».

Утвердили состав, в который вошел Евгений Иванченко как исполнитель партии Хозе. Партию Тореро исполнял Денис Матвиенко. Именно в таком составе мы обратились за помощью к танцовщику Гедиминасу Таранде, который был непосредственным участником этого спектакля и знал его как нельзя лучше. И в течение месяца он передавал нам свои знания. Мне очень нравилось работать с Гедиминасом Тарандой, выдающимся танцовщиком Большого театра, которого тоже, к сожалению, впоследствии постигли различные жизненные и творческие трудности, в том числе и увольнение. Для меня он есть и останется Большим артистом.

Как удивительно, как творчески он подошел к процессу обучения! Это было настоящим драматическим действом! Все сцены в тюрьме и сцены любви в адажио Гедиминас объяснил настолько досконально, что я до сих пор помню каждый его жест. В любое, даже самое, казалось бы, простое движение он вкладывал определенный драматический смысл. В появлении Кармен на площади, где она показывает весь свой шик, бравурность танца, одновременно остроту и бахвальство, торжество и праздность, например, есть жест, когда Кармен делает один поворот ногой, словно серпом, рассекая воздух. «Это движение,— объяснял Гедиминас,— исполнять нужно так, как если бы Кармен отбрасывала рассыпанные из корзины апельсины».

Наш дебют состоялся в сентябре 2001 года в Лондоне при участии театра «Русский балет» под руководством Вячеслава Гордеева. Был грандиозный успех, и мы радовались, что все у нас получилось.

Цыганка Кармен не кукла, не красивая игрушка, не уличная девка, с которой многие не прочь бы позабавиться. Для нее любовь — смысл жизни. А непременное условие этой любви — свобода. Она вольна была полюбить сержанта Хозе, который, ослепленный ее красотой, отпускает Кармен из-под ареста. Ее недоловечная любовь — дар Хозе за свободу. Но, видя, что он не способен вести жизнь контрабандиста и связан моральными узами, она вольна и разлюбить его. Опять же ради свободы. Так же пылко, не задумываясь, она отдает свое сердце блистательному и бесстрашному Тореро. И сама, не менее бесстрашно, идет навстречу обезумевшему от ревности Хозе, чтобы продемонстрировать, что презирает любовь раба. Кармен не страшна смерть, ей страшна несвобода.

Самым значительным событием в жизни моей Кармен стало исполнение этой партии на юбилейном торжестве, посвященном семидесятилетию Родиона Константиновича Щедрина второго декабря 2002 года. Юбилей праздновали в Большом театре. На его сцене впервые за многие годы зрители увидели балет «Кармен-сюита». На роль Кармен Родион Константинович пригласил меня. Его выбор был для меня чрезвычайно лестным. Вместе со мной были приглашены и мои постоянные партнеры — Евгений Иванченко и Денис Матвиенко.

Нам предстояли репетиции с самой Майей Плисецкой! Перед началом первой репетиции я безумно волновалась. Мне казалось, что под взглядом Плисецкой я не только не смогу сделать ни одного движения, но и вообще не сдвинусь с места. Я боялась разочаровать ее.

Для меня Майя Плисецкая была не только великой, уникальной балериной, но и легендарной, потрясающей женщиной.

Конечно, перед первой репетицией я боялась, что, впрочем, неудивительно, это чувство знакомо любому человеку, которому выпадала честь встретиться с Мастером. Испытываешь волнение и внутреннюю дрожь. С одной стороны, тебе ужасно хочется ему понравиться, а с другой — боишься выдать свою неловкость и несоответствие, «не показаться», как раньше говорили.

Я чувствовала себя школьницей, которой предстоит сдавать экзамен, по меньшей мере, академику! Помню, что очень долго выбирала одежду для репетиций, но при этом, как ни забавно, совершенно не могу вспомнить, что я тогда надела. Но зато я никогда не забуду тот удивительный, ни с чем не сравнимый вздох восхищения, который наполнил репетиционный зал Большого театра при появлении Майи Михайловны. Точно шепот, неуловимый шлейф восторженности, преклонения перед совершенством Великой Женщины, Королевы Балета. Безупречный макияж, гладко зачесанные волосы, элегантный костюм и... туфли на шпильках. Вот на этих самых шпильках, легко и грациозно, она мастерски показала нам партию Кармен.

Именно тогда я и поняла, что «самое высшее в мире искусство» не зависит ни от обстоятельств, ни от возраста, ни от канонов, оно находится вне разрешений и запретов. Великий человек велик во всем, если можно так выразиться. Паганини достаточно одной струны — и в его руках любая скрипка будет скрипкой Страдивари.

Потом мы показали с Женей Иванченко свой вариант, отрепетированный по уже упомянутой мной видеокассете. Не скрою, в тот момент все мои прежние страхи и переживания перед самой тяжелой премьерой показались мне детскими и незначительными. Потому что я тогда очень хорошо осознавала, что Майя Плисецкая — Кармен непревзойденная, и мне предстоит еще очень много работы, чтобы иметь честь хотя бы именоваться ее преемницей. И самое большое в моей жизни замешательство я испытала именно перед ней.

Майя Михайловна преподала мне два огромных урока. В самом конце спектакля есть сцена, где Кармен отвергает Хозе окончательно. И нужно определенными движениями дать понять ему, что все закончилось, общего будущего просто не существует. И в этой сцене Майя Михайловна показала мне пластически, жестами одну важную вещь. Я могу сказать, что такое откровение можно передать только «из рук в руки», и никакая техника, видеозапись например, не сможет зафиксировать тонкость исполнения. То есть скопировать такое с видео совершенно невозможно. Майя Михайловна показала мне, что коротким, даже скупым, но четким рисунком жестов можно дать понять зрителям гораздо больше, чем кричащими и «грандиозными» движениями. Точно так же, как и донести смысл происходящего тихим голосом можно значительно доходчивее, чем криком и истерикой. В тишине эмоция глубже проникает в душу. Я пережила эту истину всем телом. Не только умом и сердцем, а именно всем телом, точно приняла степень посвящения или прошла ступень совершенствования. Я и теперь в «Кармен-сюите» всегда сохраняю именно редакцию Альберто Алонсо и Майи Плисецкой.

И конечно, похвала Родиона Константиновича Щедрина, отметившего «тонкое чувство музыкальной основы балета», и оценка Майи Михайловны после выступления на юбилее стали для меня высшей наградой, даже выше аплодисментов зрителей. А на втором уроке Майи Михайловны, о котором мне обязательно хотелось бы рассказать, я ощутила в ней соединение грандиозности личности с человечностью и теплотой. Считаю, что достойно восхищения, когда личность состоялась, когда человек получил славу, успех и большие возможности и при этом остается любящим, великодушным и чистосердечным.

Когда я размышляю о моей личной жизни, я вспоминаю фразу: «Пока не захлопнешь одну дверь, другая не откроется». Можно сказать иначе: «Пока не поставишь точку в отношениях с одним человеком, не обретешь другого, может быть, самого дорогого для тебя». Партия Кармен очень много значила для меня и в личном плане. Я бы не назвала ее «хлопком двери», но, возможно, она стала воплощением моей личной ситуации и подтверждением правильного решения. Принимая решение завершить отношения с моим возлюбленным, я догадывалась, что мне придется испытать ряд трудностей, но не могла предположить, насколько они будут невыносимы. Помню, мы с мамой организовали на ее родине, во Львове, благотворительный концерт. В аэропорт я приехала в прекрасном настроении и с улыбкой протянула таможеннику паспорт. Мама и мой партнер Женя Иванченко к тому времени уже прошли таможенный контроль. Безликого вида мужчина на улыбку не ответил, долго вчитываясь в паспорт, точно иностранец, впервые увидевший русские буквы. Наконец, с видимым недовольством закрыл документ и, не глядя в глаза, угрюмо промычал:

— Придется подождать.

Я даже не почувствовала неладного и шутливо спросила:

— Что такого запрещенного я могу вывезти на Украину? Русское сало?

Таможенник ничего не ответил, просто ушел.

А вернувшись, безапелляционно заявил:

— Ваш паспорт мы забираем.

Я опешила:

— Как забираете? На каком основании?

В ответ я услышала какую-то совершенно непонятную фразу:

— А вы позвоните судебному приставу — он вам все объяснит!

— Какому еще приставу?! Что он мне должен объяснить?!

Я уже абсолютно беспомощно задавала ему вслед какие-то вопросы. Мол, что происходит, как можно отобрать паспорт на границе в собственной стране, да еще и без объяснения причин? Мама тут же принялась звонить нашему адвокату, который вскоре прояснил ситуацию. Оказалось, что некто ОЧЕНЬ богатый и ОЧЕНЬ влиятельный позвонил в аэропорт таможенному начальнику и попросил задержать Волочкову под любым предлогом или вовсе без всякого предлога. Так даже унизительней.

Трудно было не догадаться, кто все это устроил. Влияние S. простиралось гораздо дальше Садового кольца. Сначала сделал все, чтобы меня уволили из Большого, а теперь попытался помешать самостоятельной концертной деятельности и, что самое грустное, даже благотворительной — тем концертам, за которые я совсем не получала денег. При моей обязательности, моей гипертрофированной ответственности сорвать концерт — это худшее из преступлений. Конечно, это был сильный удар. И все же я не жалею ни о чем. Даже наоборот, S. помог мне ясно понять, что я никогда не смогу быть «приложением» к мужчине. Когда мне было еще только шестнадцать лет, мама часто говорила мне о том, что, в первую очередь, я должна стать личностью, состояться как балерина и строить свою жизнь по принципам самодостаточного человека. Как бы громко это ни звучало, но я должна была, с ее точки зрения, достичь такого величия и силы, при которых невозможно принадлежать кому-либо. Проще говоря, стать такой, чтобы никто не мог поступить со мной как с вещью. Даже самый богатый человек на Земле! Мама учила меня быть независимой, дорожить своей свободой и понимать ее не как условие, при котором никто не нужен, а как жизненную позицию, когда ты должен рассчитывать только на свои собственные силы!

Творчество и любовь должны быть параллельны, без превосходства одного над другим. Кармен выбрала свободу, я выбрала Балет. Я могу быть собственностью Балета. Но не собственностью человека.

Мне и раньше приходилось несладко из-за своих убеждений. И все же я уверена, что поступала правильно, отказываясь от сомнительных благ, которые мне предлагались взамен уступок с моей стороны. И я до сих пор думаю, что для человека, который считает себя личностью, нет другого пути к заслуженному успеху, кроме постоянной упорной работы. Конечно, несговорчивость и независимость дорого мне стоили в Мариинском и Большом театрах... Зато у меня есть полное право сказать, что главные партии мне доставались отнюдь не за «красивые глазки». Сюжет «Кармен» так близок к истории моей жизни! А раздавать награды за роли, сыгранные в этом спектакле, я предоставляю судьбе — она расставит все по местам, и «сестры по серьгам» обязательно получат.

В заключение рассказа о «Кармен-сюите» хотелось бы озвучить еще одну «мысль неглубокую», как говорила Фаина Георгиевна Раневская. Не так страшны в искусстве, да, наверное, и в любом виде деятельности, профессиональные трудности. Все, что зависит от тебя лично, ты всегда сможешь сделать, приложив максимум сил и способностей. Самое неприятное и трудоемкое — преодолевать форс-мажор, именно для тебя созданный так называемыми «доброжелателями».

Никогда не смогу забыть концерт в Московском международном Доме музыки, который состоялся уже после увольнения из Большого театра и стал началом жесточайшего противостояния. В программе — «Кармен-сюита» и дивертисмент. Концерт был намечен на третье июля 2003 года.

За три дня до этого концерта я почувствовала, что профессионалы, взявшиеся за его организацию, начали явный саботаж.

Кармен я танцевала всегда с Евгением Иванченко, кроме него этой партии не знал никто. Для участия в концерте съезжались артисты из Киевской оперы, из Мариинского театра. За три часа до начала звонит Женя:

— Настя, не могу танцевать. Я в больнице.

— В какой больнице?

— Сам не знаю.

Организатор концерта каким-то образом нашел его в Кремлевке. Ему снова угрожали, обещали переломать ноги, если он будет танцевать со мной. По договоренности с врачом бедного, ни в чем не повинного Женю заперли в палате и запретили «покидать помещение». Что было делать? Заменить «Кармен-сюиту» нельзя — люди шли именно на нее. Я выглядела бы недостойно, поменяв спектакль на гала-концерт. Мчусь по коридору, и тут, знаете, точно какой-то магический знак, своеобразная палочка-выручалочка: мимо идет киевский артист, который приехал танцевать адажио из «Жизели», и напевает себе под нос: «Тореадор, смелее в бой». Я вдруг сразу отчетливо увидела выход из положения. Бросаюсь к артисту: «Миленький Гена, забудьте про „Жизель“. Вы ее станцуете во втором отделении, а сейчас срочно

145

нужно выучить партию Хозе из „Кармен-сюиты“».

И в оставшиеся полчаса до концерта, когда нормальные люди садятся гримироваться, я начинаю показывать ему порядок в мужской партии — как Женя меня держал, куда бежал, что делал...

Это был ужас! Во время танца приходилось постоянно что-то шептать и подсказывать партнеру, чтобы он не запутался. И, конечно, мы «вытянули» выступление. Все в результате получилось хорошо. Только какой-то зритель с первых рядов спросил после спектакля: «Почему вы все время о чем-то бормотали, это же не драма — балет?!» Да, это не «драмбалет», это типичный форс-мажор, который мы все-таки преодолели. Даже в самых отчаянных ситуациях судьба может подсказать тебе единственно возможный выход. Надо только уметь услышать. И не сдаваться.

Глава 4

«ЖАР-ПТИЦА»

Мне всегда везло на людей. Сейчас я очень хорошо это осознаю. Особенно, конечно, во всём, что касается профессии. Ведь балет — очень консервативный вид искусства, в котором мастерство и понимание передаются из рук в руки или, точнее, из ног в ноги. Например, при подготовке балета «Жар-птица» мне посчастливилось работать с двумя чрезвычайно интересными и талантливыми людьми — Изабель Фокиной и Андрисом Лиепой. Честно говоря, без них этот балет и невозможно было бы восстановить на сцене Мариинского театра настолько близким по исполнению к первоначальной версии.

Замечательная музыка была написана Игорем Фёдоровичем Стравинским, для которого «Жар-птица» стала первой ласточкой в череде поистине «русских» музыкальных произведений, в которых фольклор приобрёл самоценное художественное звучание. Эту сказку я знала с детства. А музыку Стравинского узнала и полюбила позднее.

Именно в то время стали проводиться «Русские сезоны» Сергея Дягилева, не только открывшие русский балет европейскому зрителю, но и подготовившие после революции 1917 года с последующей эмиграцией многих артистов за рубеж распространение «русской школы» по всему миру. Анна Павлова со своей труппой, балетмейстеры М. М. Фокин, Б. Ф. Нижинский, Дж. Баланчин, Б. Г. Романов, С. М. Лифарь создавали театры и школы во многих странах Европы и Америки, оказав огромное влияние на мировой балет.

В 1993 году с разрешения Олега Михайловича Виноградова и «благословления» президента «Дягилев-центра» Юрия Яковлевича Любашевского Андрис Лиепа стал восстанавливать «Жар-птицу» на прославленной, дорогой моему сердцу сцене Мариинского театра. Вообще все мои, наверное, самые основные, красивые роли создавались в Мариинском театре. Конечно, в подготовке мне очень помогал сам Андрис, который и стал моим первым партнером по спектаклю.

Я считала для себя большой честью танцевать с этим великолепным мастером, ведь я только что закончила Академию балета и делала первые шаги на сцене. Получить такого партнера, как Андрис Лиепа, было настоящим подарком судьбы!

Много интересных моментов подсказала и Изабель Фокина, внучка Михаила Фокина. Кстати, она еще помогла тем, что сама, как ни странно, была похожа на птицу. Ее движения были настолько резки и настолько напоминали птичьи, что я очень много взяла именно у нее для этого образа. А вот стать и царственная грация в этой роли — от Инны Борисовны Зубковской. Она была очень грациозной и статной — это присуще только петербургским танцовщикам, — поэтому во все мои роли вносила много благородства, изыска и утонченной чувственности. Мне кажется, что я всегда выступала такой ученицей-отличницей, которая с благодарностью «ловит» и запоминает все подсказки, которые ей «бросают» учителя, люди и жизнь.

Партия Жар-птицы была достаточно сложной: в этой роли приходилось делать много «длинных» прыжков, приводящих к быстрому утомлению. А в целом должно было создаваться впечатление, что балерина парит над сценой. Приходилось прикладывать очень много физических усилий, чтобы зрителю видны были только легкость и воздушность, причем в течение всего спектакля, потому что Жар-птица практически не покидает сцену.

Я видела, как была счастлива Изабель, когда в Лондоне после спектакля к нам за кулисы пришел Джон Ноймайер — выдающийся немецкий балетмейстер — и выразил нам свой восторг. Изабель объяснила мне позже, что Джон Ноймайер никогда не приходит к другим артистам за кулисы, и что это надо понимать как нашу большую победу. К сожалению, в то время я не могла еще это оценить.

Балет «Жар-птица» был одним из первых, в котором я училась быстро реагировать на неожиданные ситуации, возникающие на сцене, и мгновенно находить из них выход.

По либретто Иван-царевич в погоне за Жар-птицей проникает в сад злого царя Кощея Бессмертного через высокую каменную ограду. Всюду натыкается он на окаменелых витязей. Это юноши, проникшие в страшное царство, чтобы освободить, спасти своих невест, похищенных злым Кощеем. Все они погибли, но Иван-царевич, ослепленный Жар-птицей, не боится заколдованного места. Он ловит ее, а потом, пожалев, отпускает. В благодарность Жар-птица дарит царевичу волшебное огненное перо. Прячет перо за пазуху царевич и уже хочет перелезть через забор, но тут открываются двери замка и появляются двенадцать прекрасных царевен, а за ними самая красивая — царевна Ненаглядная Краса. Иван-царевич влюбляется в нее и следует за девушкой в замок, где попадает в руки Кощея. Тот хочет превратить Ивана в камень, как и всех остальных, но царевич выхватывает волшебное перо, и на его зов прилетает Жар-птица. Она околдовывает всех врагов и заставляет их танцевать до упаду. А когда Кощей со своим войском в бессилии засыпают, Иван-царевич по совету Жар-птицы находит смерть Кощееву. В дупле — ларец, в ларце — яйцо, в яйце — смерть Кощея. Достает царевич яйцо, разбивает его о землю — Бессмертный и рассыпается. Исчезает его царство. А вместо него вырастает славный русский город.

Но вернемся к сказочному атрибуту — волшебному перу, с помощью которого царевич призывает Жар-птицу. В балете это происходит следующим образом. Обычно в балетную красную пачку Жар-птицы, украшенную мелкими перышками и бусинками, костюмеры вшивают небольшой потайной кармашек. В него перед спектаклем прячут перо приличных размеров. В течение действия после исполнения большой вариации и адажио Жар-птица выхватывает перо из кармашка и в танце после нескольких красивых взмахов вручает его Ивану-царевичу.

Но однажды во время спектакля, который мы танцевали с Андрисом Лиепой, я обнаружила, что костюмеры забыли положить «волшебное» перо в карман. Уже заканчивается адажио, и я вижу вопрос в глазах Андриса. И тогда я нахожу единственно возможный выход — а это нужно было сделать быстро и естественно, — я решительно отрываю одно из маленьких перышек, пришитых на мою пачку, и грациозно передаю его в руки Ивану-царевичу! Надо было видеть выражение лица Андриса! А потом уже во второй части спектакля Иван-царевич вышел на сцену с «настоящим» большим пером и, размахивая им, вызывал Жар-птицу на помощь.

После спектакля мне многие говорили, что это выглядело как находка хореографа, усиливающая обыкновенное сказочное волшебство: то есть маленькое «птичье» перышко само по себе превращалось в большое волшебное перо. Но это, конечно, не более чем досадная мелочь, потому что, если вспоминать премьеру балета «Жар-птица» в 1910 году на сцене парижской «Гранд-опера», Сергею Дягилеву приходилось решать проблемы гораздо более серьезные. Например, в соответствии с либретто после развала замка Кощея Бессмертного, когда Жар-птица помогает Ивану-царевичу победить злого Кощея, на месте этого замка вырастает православный город. Перед премьерой не успели сделать декорацию, и спас спектакль сам Сергей Дягилев: он изменил последний эпизод — вывел на сцену сто двадцать человек массовки в костюмах из «Бориса Годунова», который был поставлен в Париже за год до «Жар-птицы». Финал получился грандиозным!

Другой случай, произошедший во время спектакля «Жар-птица», вызвал у меня даже какой-то мистический шок. Мы тогда танцевали в «Метрополитен-опера» в «Линкольн-центре». Среди критиков и фотографов присутствовал очень талантливый, очень интересный и известный в мире балета человек — Нина Аловерт. Я бы сказала, что Нина знает каждого второго деятеля ленинградско-петербургской культуры 1960—1990-х годов и каждого из эмигрантов того же времени. Подробно я не буду о ней рассказывать, достаточно просто процитировать Сергея Донатовича Довлатова:

О! Если б мог в один конверт
Вложить я чувства, ум и страсти
И отослать его на счастье
Милейшей Нине Аловерт!..
Тогда бы дрогнул старый мир
И начался всеобщий кир!

Но возвращаюсь к спектаклю «Жар-птица». Здесь надо упомянуть об одной моей давней традиции. Перед началом спектакля (особенно если постановка ответственная и сложная) я зажигаю на столике в гримерной комнате церковную свечку. В тот раз, как обычно, я зажгла свечку перед иконкой и отправилась танцевать. А в антракте Нина Аловерт пришла ко мне на сцену, поздравила и сказала, что у нее есть замечательная фотография, где я танцую в «Лебедином озере». Фотографию она уже оставила для меня в гримерной на столике. Я поблагодарила ее и побежала переодеваться.

В тот вечер на сцене после спектакля столпилось множество людей, среди них были известные лично-

152

сти, артисты, присутствующие на премьере в Нью-Йорке, каждый хотел сказать мне что-то личное. Хорошо, что я не осталась на сцене дольше, выслушивая комплименты и впечатления о спектакле... Когда я открыла дверь гримерной, мне в лицо сразу ударил специфический едкий дым. Принесенная Ниной Аловерт фотография благополучно догорала, и оставалось благодарить Бога за то, что я вернулась вовремя и огонь не успел распространиться дальше.

Я так и представила размашистые заголовки нью-йоркских газет: «Жар-птица Волочкова сожгла „Метрополитен-опера!“»

Журналисты любят называть меня гламурной балериной. Я думаю, что пришла пора высказать свое мнение об этом. Я не отношу себя к людям гламурным, поскольку мастерство для меня превыше благ, приобретенных благодаря мастерству. К тому же я не ориентируюсь на стандарты одежды и жизни, рекламируемые в женских и мужских глянцевых журналах, предпочитая надевать не то, что модно, а то, что мне к лицу. Мой стиль находит понимание не у всех. Да и не стремлюсь к этому. Я просто всегда стараюсь выглядеть безукоризненно (опять же, в моем понимании). И, честно говоря, не вижу ничего плохого в том, чтобы стремиться к чеховской «прекрасности», обладать хорошими манерами и уметь отстаивать свое право на оригинальность и непохожесть. Могу даже по-учительски отослать ревнителей непонятных для меня и неизвестно кем придуманных правил того, как должна выглядеть балерина и что она обязана делать, к Пушкинскому: «Быть можно дельным человеком и думать о красе ногтей».

Я люблю внимание людей, люблю быть на виду, получаю свою «порцию адреналина» от общения с журналистами и зрителями. Мне приятен интерес не только к моей профессиональной деятельности, но и к личной жизни. Я люблю известность и славу за ту огромную ответную любовь, которую мне дарят зрители и поклонники. При этом я не стараюсь быть «модной» и не подчиняюсь так называемым современным требованиям шоу-бизнеса. Мне кажется, что единственный советник в выборе стиля одежды, макияжа, рациона, в принципе стиля жизни, — это чувство меры. Я еще вернусь к этой теме в одной из глав, потому что очень часто слышу вопросы о том, например, какой диеты придерживаюсь, какой образ жизни веду.

Вообще, мне кажется, что одна из самых сильных черт моего характера — это внутренняя готовность к разного рода неожиданностям и трудностям. Говоря современным языком, я в любой момент готова к экстриму. Возможно, в физическом плане это выражается в бесконечной любви к смене температур. Я обожаю контрастный душ — непременный атрибут моего утреннего моциона. И с неменьшей фанатичностью люблю русскую баню в сочетании с ледяной водой. Меня иногда дразнят «грозой банщиков», потому что я люблю париться очень долго, и люди, которые меня парят, зачастую сами не выдерживают того интенсивного жара, который я могу спокойно переносить. Кстати, этой традиции я не изменяла и во время беременности. Три раза в неделю посещала русскую баню с последующим погружением в бочку с ледяной водой. И до сих пор сразу после сольного концерта, если есть такая возможность, еду в баню, парюсь, а после уже позволяю себе поужинать. Для меня это — обязательный элемент образа жизни, который, как я не раз убеждалась, воспитывает готовность к быстрому принятию решений, к мгновенной смене обстоятельств.

Вспоминается такой случай. Как-то раз мы поехали с «Жар-птицей» на гастроли в Японию. Причем танцевать в спектакле я должна была через несколько дней после нашего приезда в Токио. Нас поселили в шикарном отеле, который располагался на солнечной стороне. Прямо в гостинице на открытом воздухе находился большой бассейн. Погода была очень теплая, и я решила в свободные дни (у меня их было три дня до спектакля) позволить себе позагорать и поплавать в бассейне. Хотя, на самом деле, все педагоги, массажисты и доктора в театре советовали мне этого не делать, потому что солнце и вода обычно расслабляют ноги, тело и не позволяют потом быстро собраться и выйти на сцену в нужном тонусе. Тем не менее я так соскучилась по солнцу и воде, что решила рискнуть, к тому же была уверена, что впереди три свободных дня. А где-то через два часа после такой интенсивной солнечно-водной процедуры ко мне подошла заведующая балетной труппой Мариинского театра и огорошила известием о том, что балерина, которая должна была танцевать в этот же день вечером, заболела. И я срочно должна ехать в театр для того, чтобы танцевать в спектакле.

Если честно, меня охватил настоящий ужас. Я уже настолько расслабилась морально и физически, что почти засыпала. И совершенно не представляла, как в этом состоянии после безумной жары можно собраться и танцевать спектакль. Я тогда поняла, что мне волевым усилием предстоит фактически обмануть свой организм и настроить его на то, что солнце и вода, которые, как правило, расслабляют, в данный момент, наоборот, придали ему необходимые силы, зарядили энергией для отличного выступления. Именно с таким настроем я поехала в театр и, представьте, с большим успехом станцевала. По крайней мере после него была очень хорошая пресса, и я получила высокую оценку от Андриса Лиепы. Во всяком случае, в тот момент я навсегда поняла, что тело человека способно творить чудеса, он может сам себя настроить и дать своему телу нужный сигнал, вне зависимости от сложившихся обстоятельств.

А закончить эту главу мне хотелось бы уж совсем анекдотичным случаем, который тоже связан со спектаклем «Жар-птица». Я хочу, чтобы мои читатели понимали, что на сцене возможно все, и далеко не всегда удается «сохранить лицо» и спасти положение. В таких случаях остается только смеяться и стараться изо всех сил не показывать зрителю, что происходит что-то из ряда вон выходящее.

Спектакль, о котором пойдет речь, мы танцевали с Андреем Яковлевым. Во время адажио, после которого Жар-птица передает волшебное перо Ивану-царевичу, есть момент, когда партнер держит балерину на руках, то есть она как бы летает, держась за его шею. И в этот момент крючком своей пачки я зацепилась за край русской рубашки, в которой танцевал Андрей. Все адажио мы были с ним «связаны» и никак не могли отцепиться друг от друга. При этом нас обоих просто разрывал смех. Я в течение всего танца пыталась отсоединить крючок от рубашки своего Ивана-царевича. А ему в то же время приходилось придумывать какие-то невообразимые движения, какие-то поддержки, чтобы я всегда была рядом. То есть все адажио, которое длилось минут восемь, мы провели, буквально слепившись, я летала исключительно на руках бедного Андрея.

Последней каплей явилось очередное отсутствие волшебного пера в потайном кармашке, как потом оказалось, оно просто вывалилось в процессе наших усилий по освобождению друг от друга. А Жар-птица, как вы помните, должна была вручить перо и улететь со сцены. Поскольку улететь я все равно никоим образом не могла, мы уже даже не стали что-то выдумывать с пером, а просто упорхнули вместе, точнее, Андрей унес меня за кулисы, где мы потом смеялись до слез.

Глава 5

«ШЕХЕРЕЗАДА»

> Если на сцене мужчина и женщина —
> это уже сюжет. Если на сцене женщина и
> два мужчины — это целая история.
>
> Джордж Баланчин

На сцене Мариинского театра балет «Шехерезада» шел в один вечер с двумя другими одноактными балетами Михаила Фокина.

Я уже рассказывала о своем участии в балете «Жар-птица». Этот балет у нас в театре ставили последним в трилогии. Поэтому, готовясь к своему выступлению, я всегда старалась из-за кулис, насколько это было возможно, следить за происходящим на сцене в «Шехеразаде». Оба спектакля — и «Жар-птица», и «Шехеразада» — вызывали восторг у публики своим очень ярким, колоритным сценическим оформлением.

Все великолепное убранство сцены и фантастические костюмы были созданы превосходными художниками, представителями «Мира искусства» Александром Яковлевичем Головиным и Львом Самойловичем Бакстом. Костюмы для «Шехеразады» по эскизам Бакста были настолько необычными по фасону и сочетанию красок, настолько яркими и откровенными, что шокировали первых зрителей. Я имею в виду парижскую публику, посещавшую Дягилевские «Русские сезоны». В нашем театре все костюмы в балетах Фокина были тщательно воссозданы по авторским эскизам. За этим внимательно следила Изабель Фокина — внучка великого балетмейстера.

Если вы посмотрите на классическую театральную программу, то заметите, что обычно первым в списке значится «Петрушка», потом — «Жар-птица», и завершает его «Шехерезада», красивый, эротичный и очень изысканный балет. Что касается меня, то, танцуя Жар-птицу, я мечтала когда-нибудь появиться на сцене в роли Зобеиды, главной героини балета «Шехерезада». Я думаю, что еще это было связано, конечно, и с национальным контрастом. Оба спектакля очень колоритны. Но если «Жар-птица» — балет в так называемом народном «русском духе», то в «Шехерезаде» властвовали восточная традиция и арабские страсти из сказок «Тысячи и одной ночи».

В роли Зобеиды я просмотрела многих балерин. Но мое предпочтение было безоговорочно отдано Алтынай Асылмуратовой.

Эта восхитительная балерина была очень органична в роли любимой жены Шахрияра. Потрясающая восточная красота Алтынай и мягкая, завораживающая пластика ее танца производили чарующее впечатление. Надо отметить, что созданный ею образ Зобеиды заметно отличался от того, что я видела раз в исполнении других балерин.

Трактовка Асылмуратовой, по словам Фокиной, была ближе всего к замыслу хореографа.

По сюжету Зобеида любит своего мужа шейха Шахрияра. Их любовь взаимна. Но коварный брат Шахрияра разжигает в нем недоверие и ревность, желая ослабить влияние Зобеиды на мужа. Он разрабатывает хитрый план, для осуществления которого оба брата внезапно отправляются на охоту. Зобеида обижена и оскорблена неожиданным отъездом мужа. В отместку она решает принять участие в пиршестве, устроенном другими женами и одалисками, которые впускают в свои покои рабов. Зобеида тоже открывает двери влюбленному в нее красавцу рабу. Начинается великолепное чувственное адажио. Но по той трактовке, которую я видела у Алтынай, со стороны Зобеиды нет настоящей любви к рабу. Она скорее забавляется и играет его чувствами.

Внезапное появление Шахрияра и его брата вызывает панику у обитателей гарема. Разгневанный Шахрияр приказывает своим янычарам расправиться с любовниками. Погибает раб Зобеиды. Она ждет, что и ее постигнет та же участь. Однако Шахрияр колеблется, он все еще любит Зобеиду и готов ее простить. Видя его смятение, Зобеида бросается к ногам мужа, клянясь в любви к нему, и молит о пощаде. Но брат Шахрияра, непреклонный в своей злобе и ненависти, требует казни Зобеиды. Видя растерянность мужа и понимая свою обреченность, Зобеида закалывает себя кинжалом.

Смерть Зобеиды, отчаяние Шахрияра и торжество брата-злодея — вот финал спектакля.

Мне было чрезвычайно интересно сыграть роль жены султана Шахрияра, которая любит двоих мужчин одновременно — и своего мужа, и любовника-раба. В этом драматическом спектакле женщина буквально разрывается между двумя мужчинами и ничего не может с собой поделать, предлагает мужу убить ее — только бы сохранить жизнь любовника. И одновременно она очень любит султана и страдает от того, что сама стала источником его мучений. Именно так я понимала роль, которую мне очень хотелось станцевать.

Махар Вазиев все-таки предложил мне танцевать в «Шехеразаде», но со странным условием: подготовиться к выступлению за четыре дня. Вопрос был поставлен ребром: или сейчас, или никогда. Причины этого требования, к сожалению, я не знаю до сих пор, правда, могу высказать догадку: Махар знал, что мне очень хотелось танцевать этот балет (тем более с Фарухом Рузиматовым, в которого я тогда была влюблена), поэтому решил проверить мой характер на стойкость. Есть такой способ обучения плаванию, когда учат в экстремальных условиях, на глубине, по принципу: захочешь жить — выплывешь. И здесь аналогично: сможешь подготовиться в кратчайшие сроки — танцуй.

Конечно, я согласилась. Не в моих правилах отказываться от предложений. В чем была сложность? Все действие балета длится сорок минут, но помимо первых выходов на сцену есть еще и основное адажио с партнером длительностью четырнадцать минут. Выучить за четыре дня балет на самом деле непросто, поскольку это характерная партия, в которой нужно отточить каждую восточную позу, положение кистей рук, положение стоп, положение тела. И пластика совсем другая должна быть — восточная, предполагающая совершенно иную графику движений, нежели в классических балетах. Как я

161

уже говорила, для меня идеалом в исполнении этой партии была Алтынай Асылмуратова, партнерша Фаруха Рузиматова. Вместе они являли неповторимый и слитный дуэт. Собственно, с помощью видеокассеты, на которой было записано, как они танцуют адажио, я предварительно и выучила свою партию.

Конечно, подобной самостоятельной тренировки было мало, требовалась непосредственная помощь человека, хорошо знающего балет «Шехеразада». Я попробовала (во второй и последний раз в моей жизни) обратиться за помощью к Ульяне Лопаткиной, попросив объяснить один небольшой фрагмент адажио, но получила резкий отказ, причем в обидной форме: Ульяна сказала, что не помнит, как танцуют эту партию, хотя исполняет ее очень давно, без перерывов. В театре знали, что у Ульяны плохая память. Но ведь не настолько!

Я даже не знаю, что меня обидело больше: отказ или ее фальшивое желание «сохранить хорошую мину при плохой игре». Не хочешь помогать — не надо, но зачем же врать? В конечном итоге я навсегда приняла решение не надеяться на помощь и взаимовыручку так называемых «коллег по цеху». На свою удачу, я встретила в коридорах Мариинского театра Изабель Фокину, которая приехала в Петербург по каким-то своим личным делам. И я попросила ее:

— Изабель, пожалуйста, вы не могли бы посмотреть, как я исполняю адажио из балета «Шехеразада»? Мне нужно знать, имеет ли право на существование мое исполнение или нет?

Изабель, к моему счастью, согласилась.

И она не только показала мне весь порядок движений, позы, позиции, она еще и убедила меня, что я смогу станцевать этот балет, несмотря на кратчайшие сроки, данные на подготовку, и на то, что мне приходилось репетировать в одиночку: с Фарухом у нас состоялись даже не две, а полторы репетиции. Если посчитать с пристрастием, то я подготовила балет за три с половиной репетиции: «полторы» — с Фарухом Рузиматовым, одну — с Изабель Фокиной и одну — самостоятельно, дома. Тем не менее Изабель оказалась права: получилось очень хорошо. И мне кажется, дело было даже не в подготовке и не в том, что мы с Фарухом составляли очень красивую пару, а в тех эмоциях, которые мы испытывали, в тех переживаниях, которые выплескивались на сцене в наших с ним танцах.

Это был, не побоюсь сказать, самый чувственный спектакль в моей жизни. К тому же партию Шахрияра исполнял Владимир Пономарев, очень опытный и известный в Петербурге танцовщик. Он умеет удивительно танцевать именно характерные роли. По крайней мере на сцене я чувствовала, что действительно разрываюсь между двумя настоящими мужчинами, я больше чем играла, даже, скорее, проживала драматический сюжет. И то, какими аплодисментами нас наградили зрители после спектакля, конечно, запомнится навсегда! Зал не отпускал нас в течение получаса, и мы двенадцать раз выходили на поклоны перед занавесом. В этот момент я была упоительно счастлива.

За кулисами, счастливый от нашего успеха, Фарух шутил по поводу неутихающего восторга зрителей:

«Наверно, в предыдущем антракте они уж хорошо отметили День театра».

Мне теперь кажется, что тогда меня посетило некое предчувствие, что, в отличие от моей героини, я обязательно буду счастлива в личной жизни, и, возможно, это как-то даже мистически будет связано с балетом «Шехеразада». Как потом оказалось, предчувствия меня не обманули... Но об этом — чуть позже.

Надо сказать, что кроме приятных воспоминаний, связанных со спектаклем «Шехеразада», есть в моей памяти и нечто такое, что мне хотелось бы забыть.

Я была приглашена в Киев для участия в балете «Шехеразада» осенью 2003 года, в самый разгар моих судебных разбирательств с дирекцией Большого театра. Перед началом спектакля в мою гримерку постучали и вошли два молодых человека. Они внесли огромную корзину цветов. Видимо, благодаря этой корзине их и впустили за кулисы театра.

Я приняла их за обычных поклонников и начала благодарить за цветы. Но вдруг один из вошедших вытащил нож и с угрожающим видом разразился чудовищной бранью в мой адрес. Сначала я так испугалась, что не могла ничего понять. Постепенно до меня дошло: они требуют от меня, чтобы я немедленно забрала из суда иск к директору Большого театра Иксанову.

Мне стало очень страшно. Я решила, что они действительно могут меня убить, и испугалась не на шутку. Сказать, что было страшно, — ничего не сказать.

Но, несмотря на сковавший меня страх, я вдруг поняла и другую цель их «визита». Люди, пославшие этих наемников, рассчитывали довести меня до такого морального состояния, при котором мой провал на киевской сцене был бы обеспечен. Осознание этого факта вмиг меня отрезвило. Должна сказать, что не существует препятствий, которые помешали бы мне выйти на сцену и станцевать с полной отдачей. Такое отношение к своей профессии сумела навсегда привить мне Дудинская. Она называла это профессиональным долгом русской балерины.

С этого момента я начала говорить с «визитерами» спокойно и уверенно. Я попыталась достучаться до их совести. Я говорила откровенно, объясняя им ту сложную и несправедливую ситуацию, в которой оказалась. Я сказала, что понимаю: они пришли не по своей воле. И, наверное, у них есть свое мнение о той войне, которую ведут против меня и в которой мне приходится защищать себя. И они должны видеть, насколько неравны силы.

Постепенно выражение их лиц начало меняться. Нож был спрятан. Они внимательно выслушали меня и наконец сказали, что моя храбрость, хоть и кажется им безрассудной, достойна уважения. После чего они пожали мне руку. Уходя, они просили никому не рассказывать об их визите. Я обещала. И только теперь, по прошествии шести лет, я позволила себе вспомнить эту историю.

Что касается спектакля, то он прошел прекрасно. Я была счастлива, что сумела перебороть страх и привести себя в нужное состояние перед выходом на сцену.

Немногие знают, что премьера балета Фокина на музыку Н. А. Римского-Корсакова «Шехеразада» в парижском театре «Шатле» (во время Дягилевских «Русских сезонов») стала поворотным моментом в истории моды. Я уже говорила, что декорации и костюмы к балету создал художник Лев Бакст. Большой любитель восточного искусства, он и на сцену перенес яркий азиатский колорит. Парижский дизайнер Поль Пуаре раньше других начал разрабатывать восточную тему, и в 1910—1913 годах его дизайнерские находки оказались в центре внимания публики.

Он первым снял с женщин корсет и предложил им шаровары и туники, а также платья-рубашки прямого покроя без акцентированной талии. Не пропуская ни одной Дягилевской премьеры, он не раз заимствовал пестрые цвета и их сочетания у художников «Мира искусства»: ярко-синий или розовый в сочетании с желтым, оранжевый — с изумрудно-зеленым. Его привлекал контрастный декор упрощенных геометризированных форм. Для таких моделей Пуаре мог использовать ткани, которые любил: прозрачный газ, золотую и серебряную парчу, бархат.

Однажды в саду своего дома он организовал показ под названием «Тысяча вторая ночь, или Торжество по-персидски», где была воссоздана атмосфера балета «Шехеразада». Именно Полю Пуаре пришла в голову мысль устраивать показы мод, подобные спектаклям или маскарадам. Также он впервые в истории моды стал создавать коллекции аксессуаров для дома, выпустил дизайнерский парфюм. И, наконец, Пуаре первым стал ездить в мировые турне с ней, Пуаре первым стал ездить в мировые турне с труппой из девяти манекенщиц, устраивая показы в целях рекламы, и основал самый эпатажный журнал своего времени — «Журнал изысканного тона».

Не могу назвать себя большой приверженкой восточного стиля, хотя мои друзья знают меня как любительницу кальяна. Честно говоря, кальян для меня — один из самых изысканных и действенных способов снятия стресса. После ответственных премьер, после физических нагрузок я могу даже пожертвовать ужином, раскуривая кальян с ароматами винограда или клубники. Самые ароматные кальяны делают в Арабских Эмиратах, поэтому каждый раз, когда мне удается попасть в Дубай, стараюсь пройти какой-нибудь новый мастер-класс по приготовлению кальяна. И потом с удовольствием готовлю его дома, причем используя вместо чубука (керамической чашки, в которую забивают табак) фрукты: яблоко, грейпфрут или лимон. Только ананас мне пока неподвластен, с ним уметь справляться только профессионалы. Смею заметить, что кальян, возможно, наносит вред здоровью, но в нем не содержится ни смолы, ни никотина. Я не злоупотребляю этой привычкой, а искусство кальяна дарит мне такое наслаждение и радость, что я и не хочу себе в этом отказывать.

Если же говорить о моем стиле, то я далека от Востока — предпочитаю классику и элегантность.

Люблю широкие брюки, расклешенные книзу, которые подчеркивают фигуру, красивые блузки и джемпера. На торжества, званые ужины или балы я предпочитаю надевать длинные вечерние платья, особенно с кринолином. Не приемлю короткие юбки и джинсы, не люблю кричащие, вызывающие цвета. Я вообще противница вульгарности как в одежде, так и во внешности. Мне кажется, что люди меняют естественный цвет волос на зеленый, красный, фиолетовый, сиреневый, одеваются вызывающе только потому, что не могут иначе привлечь внимание к своей персоне. А мне нравится, когда одежда и макияж подчеркивают внешность, а может быть, даже и черты характера, присущие человеку. Я никогда не пойду на поводу у модных течений, даже если они продиктованы самыми популярными, самыми лучшими дизайнерами. Оскар Уайльд говорил: «Мода — это то, во что одеваемся мы сами. Немодно то, что носят другие». Это, конечно, шутка, но мне кажется, что нужно стремиться к тому, чтобы выглядеть естественно и приятно для себя самого. Чтобы одежда подчеркивала достоинства внешности и скрывала недостатки.

То же касается и питания. Я вообще не понимаю этого шумного ажиотажа вокруг разных диет и раздельного питания. И не вижу никакого смысла в том, чтобы в один день с жадностью набивать желудок кусками торта, а в другой — терзать обезжиренным кефиром или минеральной водой. Мне кажется, что рацион должен соответствовать образу жизни и профессиональной деятельности. Так случилось, что к сегодняшнему дню я подошла со своей собственной традицией и культурой питания. На самом деле, придя в балетную школу в возрасте девяти лет, я самостоятельно приняла для себя решение отказаться от мяса. Просто мне показалось, что это слишком тяжелая еда для меня. И если я хочу заниматься таким утонченным видом искусства, как балет, мне необходимы легкие растительные продукты. Такое решение привело к тому, что я действительно и тогда, и сейчас не испытываю желания употреблять мясные продукты. Могу наслаждаться ароматом жарящегося шашлыка, но вот съесть его мне совершенно не хочется. Я спокойно отказалась практически от всех сладостей, но очень люблю мед.

На самом деле, я живу в режиме одноразового питания, особенно в дни премьер или концертов. Причем я предпочитаю есть вечером, а не утром, как нам советуют доктора. Утром я обхожусь чаем с лимоном, поскольку сразу же иду на урок и остро ощущаю, насколько даже легкий завтрак может помешать качественному экзерсису. Мне кажется, что если ты научился чувствовать свой организм, то можешь прекрасно понимать и удовлетворять его потребности.

Мой ужин, например, обычно состоит из салатных листьев, шпината и иногда рыбы, приготовленной на пару. Я вообще очень люблю морепродукты — «морские чудики», как я их называю: устрицы, мидии, крабы, кальмары и каракатицы. Если их изредка совмещать с бокалом белого вина, получаешь изысканное, ни с чем не сравнимое удовольствие. Конечно, иногда я «ловлюсь» на сладостные запахи ванили или клубники, доносящиеся из кондитерской, но достаточно мне представить, каким грузом и комом поджаристая аппетитная булочка упадет в желудок, как мне сразу же становится неприятно. Так что я всегда предпочту шпинат с тертым, чуть расплавленным пармезаном благоухающей итальянской пище.

Вернусь к предчувствиям (которые меня не обманули) и расскажу о самом знаковом событии в моей личной жизни, которое связано с балетом «Шехерезада». В июле 2004 года в Ростове состоялись гастроли труппы Театра имперского балета под управлением Гедиминаса Таранды. Мы с Евгением Иванченко должны были танцевать в первом отделении адажио из «Шехерезады», а во втором предполагалось, что я исполню две сольные хореографические композиции — «Эдит Пиаф» и «Аве Мария».

И накануне этой поездки Женя заболел, поэтому я попросила о помощи солиста Большого театра Рината Арифулина. Причем «о помощи» — слишком мягко сказано, поскольку, на самом деле, ему предстояло совершить очень храбрый поступок: танцевать со мной этот балет всего с одной репетиции. И Ринат как-то бесстрашно согласился выйти со мной на сцену в Ростове в составе незнакомой труппы. Конечно, мы отработали с ним все поддержки, все нюансы спектакля, удостоверились в том, что подходим друг другу по роли, и замечательно выступили.

Могла ли я представить, что партнер по сцене, оказывающий мне помощь, впоследствии станет руководителем проектов в моей команде, партнером в бизнес-отношениях. Мы вместе разработали социальный проект по духовно-нравственному воспитанию детей и молодежи, концепцию создания сети школ эстетического воспитания в регионах России. Ринат — уникальный человек, обладающий умом, харизмой, стремлением к достижению целей, теми качествами, которые близки мне.

Почему именно это выступление стало для меня таким важным и запоминающимся? Да потому, что за месяц до него мы познакомились с Игорем Вдовиным, моим будущим мужем. Я, конечно, и подозревать не могла, кем он для меня станет. Более того, я отнеслась к галантности Игоря с сильным подозрением.

Дело в том, что скандал в Большом был в самом разгаре, и S., человек, с которым я разорвала отношения, при каждом удобном случае старался испортить мне жизнь. Новые знакомства меня скорее пугали, чем радовали. Время было не просто сложным, оно было кошмарным. Постоянно раздавались телефонные звонки с угрозами физической расправы. Я боялась оставаться в московской квартире одна, особенно на момент предъявления по ней судебного иска.

Мне было настолько страшно, что я практически не могла спать, любой ночной звук: капающая в душе вода, случайный стук или шорох — поднимал меня с постели. Я тщательно осматривала окна, выглядыва-

171

ла во двор, осторожно смотрела в дверной глазок, пытаясь определить, откуда может грозить опасность. В конце концов, мне пришлось снять скромный домик на Минском шоссе просто для того, чтобы никто, кроме моего водителя, не знал, где я живу. Я впервые столкнулась с реальной опасностью для своей жизни.

Любые переезды мне давались нелегко. В Петербурге перед своими концертами и зачастую встречала перед служебным входом приставов, которые с ехидной улыбкой сообщали, что мое выступление сегодня не состоится, потому что не завершен судебный процесс по моей московской или петербургской квартире. И любой человек, которого я встречала в то время, казался мне подозрительным. Так что появление в моей жизни Игоря я восприняла с огромным недоверием. И хочу отдать ему должное за его терпение и такт. За умение выждать ситуацию и ненавязчиво, но очень вовремя проявить знаки своего внимания. Очень достойно, очень честно и очень открыто. А главное, эти знаки внимания не выглядели помпезно, не были рассчитаны на то, чтобы поразить размахом, зато они были очень трогательными и внушающими доверие к Игорю как человеку.

Но вернусь к нашей первой встрече.

Второе июня 2004 года. Я лечу в Москву из Сочи. Мама встречает меня в Домодедово — надо срочно ехать на репетицию. Я выбрала самый ранний рейс для того, чтобы не опоздать на репетицию. Их у меня сразу две в разных театрах. Выхожу из самолета и вижу надписи «Шереметьево». Господи, видимо, я что-то перепутала!

— Мама! Я в Шереметьево! Что делать?! Теперь я опоздаю на репетицию! — кричу в телефонную трубку.

Пассажир, спускающийся по трапу впереди меня, оглянулся. Я узнала его — яркий брюнет, в Сочи перед вылетом он помог донести до самолета пакет с моим балетным костюмом.

— У вас что-то случилось? Могу подвезти до Большого театра. У меня есть машина.

Мне это не понравилось. Сначала костюм, теперь машина. С какой стати такая галантность? Но тут же одернула себя: «Настя, это уже паранойя. Не может быть, чтобы все вокруг были подкуплены S.».

Другого выхода не было, и я села в машину случайного попутчика. Всю дорогу он вел себя очень тактично. Предлагать деньги было неловко, и я спросила, выходя:

— Хотите прийти на спектакль?

— Не надейтесь, что откажусь, — ответил он и протянул визитку. Из нее я узнала, что моего случайного попутчика зовут Игорь.

Я была счастлива, что не опоздала, и решила еще раз поблагодарить спасителя. Отправила сообщение: «Спасибо большое за помощь. Вы добрый человек».

Я как-то и не подумала о том, что, получив эсэмэску, он узнает номер моего телефона, поэтому, когда он позвонил на следующий день, сразу ужасно напряглась:

— Откуда у вас мой номер? Кто вы такой?

— Вы же мне прислали вчера сообщение, — удивился Игорь.

— Вчера?

Не ожидавший такого сердитого приема, Игорь воспринял это как упрек: мол, номер получил вчера, а позвонил только сегодня. И поспешил отчитаться:

— За то время, что мы не виделись, я успел слетать в Ростов и специально вернулся сегодня, чтобы пригласить вас поужинать.

Я не знала, что ответить, и, напряженно вслушиваясь в голос в трубке, пыталась понять — искренне он говорит или нет. Я боялась, что этого человека подослали специально, чтобы выведать информацию, выкрасть ключи, да мало ли еще зачем. Но вдруг поняла, что хочу увидеться с Игорем: в жизни была такая пустота...

— Хорошо, только у меня эфир на телевидении, освобожусь не раньше одиннадцати.

— Я буду ждать.

...Приезжаю в ресторан — его нет. «Это он так тебя ждет», — промелькнуло в голове. Появился Игорь только минут через десять.

— Где вы пропадали? — обиженно спросила я.

— Искал телевизор, знал, что у вас эфир, и хотел посмотреть, как вы выглядите на экране, как говорите, как держитесь.

Меня это тронуло. Но ад, в котором я жила, научил никому не доверять. С трудом верилось, что такое внимание бескорыстно. Чем дольше я общалась с новым знакомым, тем больше он меня настораживал. Игорь знал обо мне все. И то, что питаюсь в основном салатными листьями, и то, что люблю кальян, русскую баню...

Когда принесли заказ, сделанный для меня Игорем, — шпинат с тертым сыром пармезан и рыбу на пару, — я с трудом справилась с паникой. Как он уга-

дал, что это моя любимая еда?! В разговоре выяснилось, что у нас совпадают вкусы не только в еде.
У нас абсолютно совпадали взгляды на жизнь. Я была одновременно очарована и сбита с толку. Он мне
нравился. Но настороженность не проходила.

Мы тепло попрощались у дверей ресторана —
была глубокая ночь. Я села в машину и поехала за
город, где меня ждала мама. Она растопила камин и
приготовила травяной чай. У нас была традиция
каждый вечер сидеть у огня и обсуждать прошед-
ший день.

— Стоило ли так поздно ужинать неизвестно с
кем? — сетовала она. — Ты и так устаешь сверх
меры.

— Почему «неизвестно»? — улыбнулась я. — Его
зовут Игорь. Похоже, у нас много общего. Начнем с
того, что это первый мужчина, который, как и я, любит рыбу на пару. Говорит, что сам прекрасно ее го-
товит.

— Надеюсь, ты не собираешься ехать к нему ее
пробовать? — испугалась мама.

— Почему бы и нет? Он милый. Мне кажется, он
и тебе понравится.

— Настя, ты что, его пригласила? Рассказала про
этот дом?!

— Да никуда я его не пригласила. — Я устало
прикрыла глаза и вытянула ноги ближе к огню. — Не
понимаю, чего ты так испугалась?

— Это засланный казачок, — сказала мама. —
Слишком все идеально. Уверена, тебя хотят скомпрометировать.

Я не нашлась, что ответить. Думать об Игоре плохо не хотелось, хотя сомнение в душе оставалось.

И как же я была удивлена, когда в Ростове на банкете после выступления встретила Игоря с друзьями. Оказалось, они были вечером и на спектакле. Вот, наверное, с этого момента между нами начали зарождаться романтические отношения. Во всяком случае, я счастлива, что спектакль «Шехеразада» стал предзнаменованием счастливой встречи с моей большой любовью.

Чуть позже, уже в Москве, Игорь пригласил меня в «Дворянское гнездо» на Рублевке, чтобы отметить два месяца со дня нашей первой встречи. Я бывала там и раньше. Но когда вошла в этот раз, вдруг увидела, что обстановка преобразилась самым волшебным образом. Окна задрапированы какой-то сказочной тканью в восточном стиле. Пол устилают лепестки роз, везде множество цветов и сотни огромных горящих свечей. В середине зала, где нет никого, кроме нас с Игорем, стоит роскошно убранный стол, похожий на свадебный, на нем — изысканное белое вино и все виды салатных листьев, которые только существуют в природе! Чуть поодаль женский скрипичный квартет играет классическую музыку. А в кресле на месте Игоря сидит небольшой плюшевый заяц! Именно в тот день я поняла, что наконец нашла человека, с которым хотела бы прожить всю свою жизнь.

Я еще раз хочу подчеркнуть, что для меня в развитии наших с Игорем отношений были очень важны моменты постепенного узнавания. А мне хотелось знать обо всем: как он относится к своей семье, к своим близким, к своим детям, как он воспринимает меня, моих друзей, мою маму. В его поступках, в его отношении было столько человечности, без всякого лицемерия. И в то же время я видела, насколько ему было тяжело разрываться между своими близкими, мной и его работой. Тем не менее он всегда вел себя очень достойно. И меня очень трогал один момент наших с ним отношений. Игорь проводил вечер и ночь со мной, а утром, в пять часов просыпался и ехал на Рублевку для того, чтобы отвезти в детский сад своих детишек. И потом обязательно возвращался, чтобы мы с ним позавтракали вместе: при свечах попили чай и отправились каждый на свою работу. Причем он делал это не раз и не два, иногда даже не предупреждая о том, что рано утром ему надо где-то быть. Просто, просыпаясь, я обнаруживала Игоря уже одетым около постели и понимала, что он уже успел куда-то съездить по своим делам.

Наверное, более всего меня покорило его внимательное отношение к нюансам. Не только к тому, *что* происходит, но и к тому, *как* это происходит. Его желание сделать каждое мгновение жизни неповторимым и радостным. У меня, например, в жизни, особенно в юности, было мало праздников. Все мое время посвящалось балетному искусству. Даже дни рождения отмечались очень скромно, скорее «для галочки». Позже, когда рядом со мной появился S., он организовывал пышные вечера, но я понимала, что это была пустая формальность. Без души и личного участия, для показухи, но не для меня. С появлением Игоря даже самые маленькие события превратились в настоящие замечательные праздники. Пусть даже это всего лишь одно мое удачное выступление, и... самое скромное кафе преображалось чуть ли не в зал для торжеств. Обязательно цветы,

177

обязательно моя любимая классическая музыка, пусть даже это не огромный оркестр, а милый струнный квартет. Ведь самое главное для женщины — ощущение, что все происходящее в ее жизни очень важно для человека, который рядом с ней.

Почти с того самого времени, с августа 2004 года мы с Игорем постоянно были вместе, и всего лишь два дня расставания могли стать для нас достаточно большим испытанием. И я искренне надеялась на то, что так будет продолжаться вечно.

Глава 6

«СПЯЩАЯ КРАСАВИЦА»

И сейчас же все, кого коснулась волшебная палочка феи, заснули... И все это случилось в одно-единое мгновение. Феи знают свое дело: взмах палочки — и готово!

Шарль Перро

Этот сказочный балет Чайковского—Петипа является вершиной классического балетного искусства.

Он задуман Мариусом Петипа как пышное феерическое зрелище в стиле барокко.

В балете «Спящая красавица» мне посчастливилось станцевать все значимые роли: Авроры, Феи Сирени и даже злой Феи Карабос. Масса забавных историй и интересных встреч связаны именно с этим балетом. Партию Феи Сирени я танцевала, еще будучи ученицей пятого—восьмого класса балетной школы. Собственно, с этой роли и началась моя взрослая профессиональная жизнь. Но в «Спящей красавице» для меня присутствует еще нечто важное: глубокая ассоциативная связь того, что происходит на сцене, со сказкой в самом прямом понимании этого слова. Соприкасаясь с этим балетом, ощущаешь, что все горести, которые случаются в твоей артистической карьере, не более чем испытания на пути к счастливому концу. И поэтому даже в момент самого высочайшего напряжения где-то в душе ты сохраняешь детскую счастливую улыбку, зная, что все равно все случается к лучшему.

Надо сказать, что подготовила меня к той первой роли Феи Сирени замечательная балерина Алла Евгеньевна Осипенко. Она пригласила меня на стажировку в Италию. Мы приехали с мамой во Флоренцию и жили там целый месяц (это, кстати, был мой первый выезд за границу). И, конечно, я до сих пор вспоминаю то время, как сказку.

Флоренция — город, который не знает сна. Он бурлит и днем, и ночью. К тому же там я впервые увидела то, чего у нас (на тот момент в Советском Союзе) никогда не было. Не только разнообразие продуктов, хотя, конечно, оно шокировало: раньше я просто не представляла, что существует такое огромное количество сортов сыра, ветчины и колбас, не говоря уже о йогуртах. Но главное, конечно, это величественное архитектурное великолепие и безудержный южный темперамент итальянцев.

Где бы мы ни были: в церкви Санта-Кроче, на площади Синьории с Палаццо Веккио и статуей Давида, в соборе Санта-Мария-дель-Фьоре, доме Данте и Баптистерии с Золотыми воротами, — все пространство наполняли люди. И не только наполняли, а еще и весьма активно общались и действовали. Казалось, для итальянцев не существует никаких правил поведения, равно как и вождения автомобилей. Например, сцена бурной перепалки водителя и пешехода прямо посреди улицы (в которую радостно включаются все неравнодушные зрители) — дело обычное. Итальянские же гостеприимство и общительность просто поражают. По дороге в студию Аллы Осипенко мы с мамой проходили через рынок, на котором обычно не столько покупали, сколько с любопытством разглядывали товары. Через два дня продавцы рынка встречали нас как родных. Да и каждый прожитый во Флоренции день увеличивал количество знакомых итальянцев, которые делились своими семейными новостями, приглашали нас в гости. Такая открытость у них, мне кажется, в крови: они способны всех вновь встреченных людей принимать как потенциальных родственников.

Там у нас появилась замечательная знакомая Мария Роза. У нее была маленькая кудрявая собачка, я не знала, как ее зовут, но про себя придумала ей имя Пуфф — мне казалось, что именно так должна была выглядеть собачка спящей принцессы, которая проснулась первой в сказке Шарля Перро. Дело в том, что в студии Осипенко было принято после урока благодарить педагога аплодисментами. И когда мы, ученицы, после занятий начинали аплодировать Алле Евгеньевне, собачка каждый раз подбегала к ней и тоже благодарила по-своему: подпрыгивала, изящно кружилась, чуть ли не делала пируэты. Это очень трогательно смотрелось.

Еще одним ярким и в каком-то смысле даже знаковым воспоминанием о той поездке осталась говорящая ворона. Клетка с ней была выставлена на улице около какой-то лавочки. Всех прохожих она провожала итальянскими высказываниями: arrivederci, что значит «до свидания», pronto — «слушаю».

Видимо, так отвечали на телефонные звонки владельцы магазина. Говорящая птица на удивление гармонично вписывалась в общий уличный гомон. А моя мама тогда, засмотревшись на ворону, иронично сказала: «У меня только один неприятный осадок от поездки. Даже ворона может разговаривать по-итальянски, а мы не можем!» Меня же тогда взволновал не столько итальянский, сколько английский язык. Поездка во Флоренцию показала, что я слабовато им владею. Помню, как, уезжая из Италии, я дала себе обещание, что выучу английский язык настолько хорошо, чтобы больше никогда в жизни не прибегать к помощи переводчика. Так и получилось. I speak English quite well now.

Партия принцессы Авроры считается одной из труднейших в классическом балетном репертуаре. Кроме сложной хореографической техники необходимо овладеть еще и особым стилем этого балета: изысканной манерностью жеста и позы. Мне все это было очень интересно осваивать. Казалось, я примеряю на себя костюм сказочной принцессы и постепенно превращаюсь в нее. Помогали этому превращению мои педагоги-репетиторы: замечательная исполнительница партии Авроры Татьяна Терехова, а также прекрасные танцовщики Сергей Бережной и Марат Даукаев.

Партию Авроры я танцевала впервые в Мариинском театре. Мне было двадцать лет, по либретто Авроре — шестнадцать. Работали со мной уже взрослые заслуженные танцовщики Константин Заклинский, Андрей Яковлев, Александр Курков, что, конечно, благотворно повлияло на исполнение роли и ее стиль. К тому же «Спящую красавицу» справедливо считают энциклопедией классического танца, утверждением симфонической танцевальности как основы драматургии балетного спектакля.

Любопытно, что для двух очень почитаемых мной великих русских балерин — Анны Павловой и Галины Улановой — этот спектакль стал первым детским потрясением. Увидев его, каждая решила стать балериной! Но ни для Павловой, ни для Улановой партия Авроры впоследствии не стала эмблемой творчества. Да и я не могу сказать, что роль Авроры стала для меня основной. Просто на том этапе моего становления она была необходима именно как пример классического танца, кроме того, мне было очень интересно создавать этот образ, требующий изысканной вычурности. И здесь, конечно, следует сказать огромное спасибо прекрасному танцовщику Марату Даукаеву, с которым мы танцевали «Спящую красавицу» в Японии. Он выступил не только моим партнером, но и педагогом, то есть занимался со мной экзерсисом, помогая в репетициях и технически подготавливая меня к этой роли. А гастроли, я помню, были очень насыщенными, ежедневные спектакли практически исключали возможность репетиций. Марат же самоотверженно работал со мной, показывал движения, объяснял, и в результате мы добились, как мне кажется, замечательных успехов. Во всяком случае, отклики прессы на «Спящую красавицу» были хорошими, и много добрых слов прозвучало из уст педагогов, которые присутствовали на спектаклях. Даже недоброжелательно настроенные критики хвалили спектакль, что, конечно, было показателем настоящего успеха!

Там же в Японии, но уже во время других гастролей, я познакомилась с Шарлем Жюдом, художественным руководителем Балета Бордо, пригласившим меня танцевать партию принцессы Авроры в его спектакле.

Я согласилась участвовать в спектакле Жюда при условии, что роль принца Дезире будет исполнять Евгений Иванченко.

Незадолго до нашего выступления в Бордо мне пришлось приехать во Францию по другому поводу. В Париже в российском посольстве был организован мой сольный концерт в пользу петербургской детской больницы им. Марии Магдалины. На этом концерте присутствовало много высокопоставленных лиц, в том числе потомки русских и французских аристократов.

После концерта в посольстве состоялся прием. Когда я там появилась, то увидела, что все присутствующие дамы одеты в вечерние платья. Я же, занятая концертными костюмами, не предусмотрела, что мне понадобится еще и такой наряд. Я чувствовала себя крайне неуютно — на мне были черные брюки и белый свитер. Я смутилась еще больше, когда ко мне подошел элегантный мужчина средних лет со словами: «Знаете, Анастасия, вы здесь самый живой человек!» К счастью, рядом оказался мой петербургский знакомый Олег Минко, он и представил мне принца Анри де Бурбона. В то время Олег был помощником и переводчиком принца, их связывали многолетние дружеские отношения. Умный, обаятельный человек, Олег был очень опытен в светском общении. Рядом с ним и его другом я быстро забыла свою неловкость и прекрасно провела остаток вечера.

Впоследствии Олег стал моим настоящим другом, к которому я не раз обращалась за помощью в трудную минуту. Надо сказать, что меня всегда поражали эрудиция Олега и его талант рассказчика, что делало Олега украшением любой компании. А для меня он был еще и источником многих интересных познаний.

Мы поехали в Бордо вместе с Евгением Иванченко, моим дорогим и любимым партнером. Спектакль, не скрою, был крайне сложным, потому что Шарль Жюд изменил вариации на свое усмотрение и даже удлинил их. Танцевальные партии оказались гораздо сложнее, чем в обычной постановке. К тому же в конце спектакля была введена общая мазурка, которую обычно танцуют только характерные танцовщики. У Шарля Жюда ее танцевали все артисты кордебалета во главе с солистами. Причем у мазурки неожиданно оказался совершенно бешеный темп, который был для нас с Женей полной неожиданностью. Создавалось впечатление, что дирижер куда-то опаздывает и торопится побыстрее закончить спектакль.

На премьере у нас чуть было не случилась истерика от смеха, к тому же Женя неосторожно вспомнил про «разделёх». А это отдельная история, достойная занесения в историю балета.

Я уже не помню, где это происходило, допустим, в маленьком российском городке N. В единственном Дворце культуры состоялся выездной концерт, состоящий из разных танцевальных номеров. Вела этот концерт дама, которая могла бы украсить в качестве комического персонажа любую пьесу. Причем она не делала ничего не выдающегося, просто читала по бумажке названия номеров. Неизвестно, где эту даму учили русскому языку, но французскому ее точно нигде не учили. В общем, выглядело это так.

Дама читает: «Адажио из балета „Жизель“. Исполняют такие-то». Дальше выходят танцовщики, показывают номер, звучат аплодисменты. И так далее. Главное, читает она очень старательно, выговаривая каждую букву, чуть не по слогам. Наконец, эта добрая служительница сцены доходит до нашего с Женей номера «Па-де-де из балета „Спящая красавица“». Естественно, в программке, которую она мусолит в руках, па-де-де напечатано по-французски: pas de deux. Дама старательно произносит: «Раз... раз... раз-де-дёх из балета „Спящая красавица“»! И что самое смешное, зрители в зале совершенно никак не отреагировали на этот «раздедёх», так как в принципе не слышали и про па-де-де. По крайней мере тишина была гробовая. А мы, конечно, чуть не умерли со смеху, и нормально танцевать в таком состоянии было совершенно невозможно. Причем мне-то пришлось легче: в начале па-де-де я стою спиной к залу, поэтому зрителям не видна была моя смеющаяся физиономия. А вот Женя-то находился как раз лицом к зрителям, в менее выгодном положении. В общем, это был не самый удачный па-де-де в нашем исполнении, наверное, с нами случился тот самый «раз-де-дёх».

Именно об этом курьезе Женя мне и напомнил на премьере в Бордо, сказав «под занавес»: «Ну что, Настя, по-моему, ситуация как нельзя подходящая для самого непревзойденного раздедёха!» Не знаю, смогли ли ли что-нибудь понять в этой постановке зрители,

186

но у меня остались очень забавные воспоминания о бордовской версии «Спящей красавицы».

Заканчивая рассказ об историях, связанных с балетом «Спящая красавица», мне хочется упомянуть об одной замечательной встрече. А также об очень важном эпизоде моей жизни. Эта встреча произошла в Лондоне, во время моей работы по контракту с Английским Национальным балетом. Именно тогда я исполнила в балете «Спящая красавица» партию Феи Карабос. Это была очень необычная постановка, потому что в классической версии Карабос — злая, некрасивая старая фея. Я вынуждена обратить на это внимание, потому что после триумфального успеха в Лондоне постановки Дерека Дина наша ангажированная пресса с издёвкой сообщила, что для меня не нашлось ничего лучшего, чем эта эпизодическая роль, которая сводится к пантомиме и поэтому нередко поручается мужчине.

Но директор труппы и главный хореограф Дерек Дин задумал нечто грандиозное, изменив содержание сказки Перро, переставив в ней акценты. Согласно его версии, главной героиней балета наряду с принцем Дезире и принцессой Авророй становилась Фея Карабос. Эта молодая и прекрасная фея должна была создавать препятствия на пути принца к его счастью, соблазняя и обольщая его своей ослепительной красотой, нежной и страстной любовью. Она подчиняла себе всех вокруг и властвовала над ними, используя силу коварства и свою неотразимую красоту. Эту роль, по словам Дерека Дина, он создал специально для меня, имея в виду мои внешние и профессиональные данные. Он поставил свою Фею Карабос на пуанты и наделил ее виртуозной, блестящей хореографией.

Я с головой погрузилась в репетиционный процесс. Я была очень увлечена новой и необычной для меня постановкой. Наши репетиции занимали весь день, они шли с утра до вечера. Я очень подружилась с коллективом театра Дерека Дина, в котором собрались артисты балета со всего мира. Наша совместная работа сплотила нас, и мы чувствовали себя одной дружной семьей.

Уже за месяц до премьеры весь Лондон был заклеен афишами балета «Спящая красавица», на которых единолично красовалась Фея Карабос.

Спектакли «Спящая красавица» Английского национального балета, где я танцевала поочередно Фею Карабос и Фею Сирени, совпали с гастролями Мариинского театра в Лондоне в «Колизеуме». Я понимала, что кое-кого из моих коллег в Мариинке вряд ли порадует такого рода встреча со мной, ведь они были уверены, что после моего увольнения из Большого театра все мировые балетные сцены закроют передо мной двери.

Разумеется, мои недоброжелатели в Большом тоже не были в восторге от такого поворота в моей судьбе. Они не для того расторгали со мной контракт, чтобы я оказалась на сцене Королевского «Альберт-Холла».

Таким образом, интересы двух конкурирующих театров неожиданно совпали в желании остановить новый виток моей карьеры.

При этом руководители балетных трупп, как я понимаю, лично ничего не имели против меня, но обязаны были выполнять волю тех, кому я действительно мешала своим присутствием на сцене. Я предполагала, что возможны любые провокационные действия.

Но то, что вскоре произошло, было подобно разорвавшейся бомбе.

Сразу несколько лондонских газет предоставили свои страницы для опубликования грубо сфабрикованных клеветнических материалов против меня. Целью этих пасквилей было уничтожение меня как личности и как балерины. Публикации создавали образ такого монстра, от которого были обязаны вернуться все порядочные люди. Мне приписывались финансовые махинации, воровство в крупных размерах и даже убийство художницы Мариинского театра, которая действительно была убита. Правда, пятьдесят лет назад. То есть на меня свалили все уголовные дела, которые совершались в Мариинском театре и вокруг него еще до Октябрьской революции.

В этих публикациях дико и нелепо извращалась вся моя биография. По их версии, я была нищей артисткой кордебалета, которая вот сейчас впервые попала в Лондон, прилетев без билета в багажном отделении с целью найти богатого мужа. Для английских обывателей весь этот дикий вымысел мог казаться правдоподобным, так как большинство населения Англии вряд ли является любителями и знатоками балета. И вряд ли они знали, что вот уже шесть лет, как я регулярно (два раза в год) приезжаю в Лондон на гастроли в качестве примы-балерины. Что касается криминала, о котором сообщалось в этих статьях, то это не противоречило представлениям о России у многих людей в Англии. Да, наверно, оно сохранилось и до сих пор.

Заказчики этих публикаций явно рассчитывали на то, что теперь я должна буду с позором навсегда покинуть Лондон, закрыв лицо темным покрывалом.

Действительно, впору было сойти с ума. Мне было всего двадцать четыре года, и я была одна в Лондоне. Перед входом в гостиницу дежурила толпа репортеров, поджидая меня. Директор отеля вывел меня через служебный вход и предоставил свою машину. Я направилась к Дереку Дину, готовая услышать от него, что в сложившейся ситуации он вынужден прервать со мной контракт. И я, конечно, поняла бы его: репутация театра, который патронировала королевская семья, повышенный интерес публики к уже разрекламированной постановке «Спящей красавицы» — все это не допускало даже намека на скандал. Я ехала как на казнь.

Меня встретили Дерек Дин и все участники спектакля. Прежде всего они заявили, что не верят ни единому слову публикаций, для них все совершенно ясно, что это хорошо организованная и щедро оплаченная акция. Дерек Дин просил меня об одном: не уезжать, собрать свою волю и выдержать этот кошмар. Вся труппа убеждала меня продолжать готовиться к премьере, не обращая внимания ни на какие провокации. Таким образом, театр Английский национальный балет стал моей первой и самой мощной защитой.

Кроме спектаклей были организованы два концерта, на одном из них, который проходил в русском посольстве, мне был представлен известный лондонский адвокат и меценат Энтони Керман — адвокат Стинга и короля Иордании, владелец крупнейшего в Англии ипподрома, вице-президент театральной компании Английский Королевский балет, человек очень образованный и крайне порядочный. Этот удивительный человек был послан нам с мамой самой судьбой. Я не знаю никого другого, у кого было бы столько душевных достоинств — отзывчивости, доброты и благородства. Превосходный юрист, в дальнейшем он не раз выручал меня из очень сложных ситуаций, в которых я оказывалась не по своей вине. Он стал моим импресарио и большим нашим с мамой другом.

Как только Энтони Керман взялся за расследование обстоятельств возникновения пасквилей и по-иски их авторов, он моментально сам превратился в мишень для бульварной прессы, которая постаралась скомпрометировать Энтони Кермана в глазах его клиентов, а заодно и вбить клин между нами. Понятно, что таким образом Энди пытались запугать и заставить, спасая свою репутацию, отойти в сторону, оставив меня без серьезной юридической помощи в чужой стране. Несмотря на опасности, грозящие его карьере, и телефонные звонки с требованиями прекратить расследование, Энди повел себя как мужественный и принципиальный человек.

Он наравне с театром Дерека Дина остался моим верным защитником.

Как только начались газетные провокации, я вызвала в Лондон маму, понимая, что только вместе мы можем выстоять и справиться с любой бедой. Но за это время в Петербурге засланные «журналисты» уже успели хорошо потрепать ей нервы, досаждая звонками и карауля у подъезда. Именно тогда мы с мамой поняли, что необязательно давать интервью, чтобы оно появилось в газете, да еще с определением «эксклюзивное». Главное для них — добыть хоть какой-то реальный факт, лучше всего фотографию (ради чего они нагло ломились в дом). Им не удалось попасть в квартиру, потому что мама целый день вынуждена была просидеть дома, наблюдая из окна, как дежурят на набережной эти папарацци. Тем не менее через день в Лондоне появилась статья с маминым интервью, которое якобы было взято у нас в квартире. Начиналось оно со слов: «Дверь нам открыла 69-летняя мама Анастасии». Далее описывался вид из окна. Я сразу поняла, что статья сфабрикована, и написавший ее в глаза не видел мою сорокадевятилетнюю маму, которая и сегодня выглядит гораздо моложе своих лет.

В Лондоне с приближением премьеры «Спящей красавицы» преследование папарацци приобрело особенно наглые формы. Этого следовало ожидать. Не добившись моего отъезда из Лондона, организаторы травли решили обработать публику, чтобы устроить провал моего выступления на сцене «Альберт-Холла». Нас фотографировали везде: на выходе из гостиницы, у театра, даже через окно автомобиля. А на следующий же день наши фотографии появлялись в желтой прессе с заранее подготовленными дикими текстами. Лондонский адвокат, к которому нас привел Энтони Керман и которому мы предоставили полный набор состряпанных против меня публикаций, ознакомившись с ними, сказал нам с улыбкой: «Успокойтесь. Это такая же правда, как и то, что вашей маме шестьдесят лет». Он объяснил нам, что они слишком перестарались в своих измышлениях, чтобы нормальные люди могли в это поверить. Вот тогда мы впервые услышали о существовании могучей балетной мафии.

Конечно, это все серьезно сказывалось на моей подготовке к спектаклю. Накануне премьеры я не спала всю ночь, меня мучил неописуемый страх. Я не представляла себе, как встретит меня зритель, начитавшийся всей этой грязной лжи, и поэтому в моем воображении возникали картины одна страшнее другой.

В день премьеры перед выходом на арену «Альберт-Холла» я старалась думать только о тех людях, которые были моей бесценной моральной поддержкой. Я знала, что в зале находятся мама, Инна Борисовна Зубковская и Энтони Керман, а в Петербурге за меня молятся мои близкие и друзья.

С этими мыслями я встала и встала в огромную роскошную карету, запряженную восьмью горгульями. Стоя в этой карете, моя Фея Карабос вихрем вылетела на арену «Альберт-Холла», грозя длинным острым пальцем тем, кто забыл пригласить ее во дворец. Но я вложила в этот жест всю свою внутреннюю силу, грозя тем, кто устроил мне весь этот кошмар. Я была уверена, что кто-то из них присутствует в зале.

В первые несколько секунд, пока мой экипаж несся по кругу арены, в зале царила ужасающая тишина, как будто ошеломленные зрители не знали, как реагировать на это явление. И вдруг весь зал взорвался! Аплодисменты, крики «браво», свист и топот ног — публика обезумела! Камень свалился с моей души. Я поняла, что зрители на моей стороне. Мне стало легко и свободно. И так, на одном дыхании, я станцевала весь спектакль. Первым, кто меня поздравил, был Дерек Дин, совершенно счастливый успехом премьеры. Он влетел в мою гримерку, обращаясь к костюмерам: «Делайте все, что она пожелает. Укорачивайте, удлиняйте, нашивайте...» Мне это было забавно слышать, потому что еще накануне он не допускал ни малейших отклонений от эскизов костюмов.

В тот же вечер меня поздравил с успехом принц Майкл Кентский, присутствовавший с семьей на премьере. Надо ли говорить, как была счастлива моя «группа поддержки» — мама, Инна Борисовна и Энтони Керман.

Тем не менее я с беспокойством ждала отзывов в прессе. Мой опыт подсказывал, что успех у публики ничего не значит для газетчиков.

Но, к нашей большой радости и удивлению, серьезные лондонские газеты напечатали восторженные статьи о спектакле. Там даже были такие слова: «Анастасия Волочкова — одна из самых ярких, роскошных балерин России. Она обладает сценической внешностью, стилем, гибкостью, умением подать себя...» «Когда Волочковой нет на сцене — это, несомненно, скучное место» («The mail on Sunday», «Evening»).

Все двенадцать спектаклей прошли в переполненном зале. Труппа танцевала с большим подъемом и вдохновением. Благодарная публика награждала нас нескончаемыми аплодисментами.

Мне жаль, что в России не увидели и уже никогда не увидят этот потрясающий спектакль.

Стало очевидно, что задуманная против меня акция не удалась. Видимо, исполнители этого заказа не получили обещанного вознаграждения, потому что они решили поправить свои финансовые дела, сообщив имя заказчика нашему английскому другу за очень крупную сумму. Поскольку заказ исходил из России, наша пресса, естественно, ни единым словом не упомянула о моем успехе в этом выдающемся спектакле. Но зато еще многие годы бульварные газеты кормились всевозможными измышлениями обо мне, тиражируя их из номера в номер.

Сейчас, оглядываясь на те страшные события, я не могу поверить, что мне удалось все это пережить и не сломаться. Я была одна, на виду, открытая для любых нападок. А мои гонители оставались в тени и, невидимые, обрушивали на меня мощные потоки клеветы.

Только одна мысль немного успокаивала: если против меня были подняты такие силы, значит, я действительно как балерина чего-то стою.

После всего пережитого я не перестала любить Лондон. Я осталась в этом городе жить и оттуда ездила с гастролями по всему миру, возвращаясь с радостью, как в родной дом.

Энтони Керман, став моим импресарио, начал организовывать мои сольные концерты в Лондоне. Они проходили в прекрасных театрах: «Палладиуме», Ковент-Гардене (Линборн-студио-театр), «Садлерс-Уэллс». Я выступала в российских посольствах и консульствах в Лондоне, Париже, Нью-Йорке, Афинах. Принимала участие в фестивалях в Нагойе, Монреале, Сполето, Гетеборге, Киеве и других городах.

Гастроли в Лондоне запомнились мне кроме всего прочего некоторыми интересными встречами и знакомствами.

Как раз на постановку «Спящей красавицы» в «Альберт-Холл» пришла известный дизайнер Вивьен Вествуд. Уникальная, я бы даже сказала, бесстрашная женщина, обладающая оригинальным мышлением и экстравагантным стилем. Достаточно сказать, что в свое время именно она создала авангардные костюмы для Sex Pistols. После спектакля Вивьен пришла ко мне в гримерную и сказала, что бесконечно поражена тем, что увидела на сцене, в том числе моим авангардным подходом к роли. Вернувшись в гостиницу, я обнаружила, что в моем номере на кровати лежит запечатанный пакет. Это был подарок Вивьен Вествуд — фантастически элегантное черное платье. Конечно, на следующий день, увидев номер телефона на визитке, я позвонила ей, поблагодарила за подарок и пригласила в гости. А потом еще долго придумывала ответный ход вежливости и остановилась на букете желтых роз.

Вивьен приехала на следующий день. Когда она вошла в номер, я испытала даже не восхищение, а шок. Надо учитывать, что миссис Вествуд уже тогда была дама в возрасте... И при этом — прекрасная прическа, яркий, почти сценический макияж, абсолютно прозрачное (!) коротюсенькое платье из шифона, чулочки с широкой резинкой и высоченные шпильки. Мы на протяжении пары часов с ней пообщались, и я поразилась, насколько оригинально она мыслит и насколько прямо высказывает свое мнение обо всем. Прощаясь, я преподнесла ей приготовленные цветы. И вдруг Вивьен жестко от них отказалась:

— Я не могу. Еду сейчас на день рождения к своему сыну.

— Но, может быть, как раз уместно будет появиться там с букетом?

И вдруг Вивьен Вествуд весело говорит:

— Вы не понимаете — я совсем не могу взять цветы. Мне их некуда положить. Я приехала к вам... на велосипеде!

И тут я представила этот «божий одуванчик» на шпильках, в таком (!) платье... и «верхом» на велосипеде и искренне расхохоталась. А Вивьен очень хорошо приняла мой смех, потому что тоже очень озорно засмеялась в ответ. Точно говорила: «Да, вот такая я есть и получаю от этого огромное удовольствие!» Я тогда отчетливо поняла, что второй такой Вивьен не существует на целом белом свете. Она во всем является собой и живет исключительно по своим правилам. Эта встреча для меня как будто стала подтверждением правильности выбранного пути. Точнее, подтверждением моего решения не идти на компромиссы, а следовать только тем путем, который интуитивно кажется правильным.

В следующий мой приезд в Лондон Вивьен устроила фотосессию, где я демонстрировала наряды из ее новой коллекции. Я не была ее клиенткой, то есть специально не заказывала туалеты у Вивьен Вествуд, но время от времени я получала от нее в подарок что-нибудь очень красивое и нарядное, что с удовольствием надевала.

Когда закончился контракт с Английским Национальным балетом, я осталась жить в Лондоне. Проектов в России у меня больше не было. Случилось самое страшное для балерины — невозможность выйти на сцену.

И тогда моя неистребимая потребность двигаться вперёд, быть постоянно в творчестве и при этом не зависеть от превратностей актёрской судьбы привела меня к мысли о создании сольной концертной программы.

Мне это показалось интересным. К тому времени я побывала не на одном творческом вечере известных балерин. На этих вечерах они, как правило, танцевали два номера — один в первом отделении, другой во втором, все остальные номера исполняли приглашённые звёзды, но называлось действо почему-то творческий вечер Илзе Лиепы или Нины Ананиашвили. Разве это твой концерт, если ты танцуешь меньше всех? Случалось, что вместо балета на сцене появлялся стол, за которым сидела балерина и беседовала со зрителями, читала стихи. После стихов она говорила: «А теперь будет фильм». И люди смотрели на экране записи её концертов. Я же собиралась показывать живое искусство балета, а не декламировать стихи или демонстрировать фильмы.

Уже в Лондоне я начала работать с хореографами, готовясь к своей сольной программе.

Помог мне в этом Энтони Керман. Мне всегда было приятно общаться с Энтони, хотя нас часто настигали агрессивные папарацци (вот когда я по-настоящему поняла и пожалела принцессу Диану!) и как безумные набрасывались, слепя вспышками. Появление мультимиллионера в обществе русской балерины

198

многие расценивали как свидетельство любовных отношений. Как-то раз мы с мамой, возвращаясь в гостиницу, вышли из такси, и вдруг нас окружили папарацци с вопросами: «Где же ваш муж Энтони Керман? Почему вы не вместе? Знает ли он, что вы тайно от него в России вышли замуж еще за двух мужчин?» Они наскакивали на нас и совали в руки российские «желтенькие» газеты, в которых были опубликованы мои якобы свадебные фотографии, где я в подвенечном платье шла под руку с разными «женихами».

Еще тогда я перестала обращать внимание на сплетни. Энтони Керман очень помог мне тогда как хороший и добрый друг, даже без каких-либо жалоб или тем более просьб с моей стороны. Он снял мне студию, чтобы я могла репетировать, и подарил мне замечательную фразу, которая здорово поддержала в тот период, когда мне казалось, что все мосты, соединяющие меня с Большим театром, «горят синим пламенем» и впереди — неизвестность. «Не огорчайтесь, Анастасия! И не бойтесь! Вы стоите на пороге чего-то нового. Когда что-то теряешь — легче взлетать!»

Появились люди, которые предложили организовать мой первый сольный вечер. Был арендован зал Театра на Таганке и приглашен один очень известный режиссер. Он предложил свой сценарий про-

199

ведения концерта и своих артистов. Он же придумал громкое название вечера: «Открытие года — Анастасия Волочкова». Однако все эти люди и даже замечательный наш режиссер исчезли так же внезапно, как и появились. Это было первое потрясение, пережитое перед концертом. Пришлось нам с мамой брать организацию концерта в свои руки. Моя мама совершенно не представляла, какие подводные камни ждут нас в этом новом и опасном деле. Для мамы было и есть главное — сделать все, чтобы осуществилась моя мечта.

И как всегда, маме удалось найти друзей и единомышленников, которые с готовностью и бескорыстно бросились ей на помощь. Я очень благодарна всем, кто нам тогда помог и позволил состояться этому концерту. Прежде всего хочу назвать Марию Борисовну Мульяш — главного режиссера концертного зала «Россия», ставшую нашим большим другом, и Вячеслава Михайловича Гордеева — прославленного артиста, руководителя театра «Русский балет», помощь которого я чувствую постоянно. Для этого концерта Вячеслав Михайлович лично на своей машине привез нам линолеум из своего театра. Большое спасибо Федору Чеханкову — народному артисту, который так тепло и душевно провел мой концерт. И конечно, особая благодарность Екатерине Сергеевне Максимовой, которая поддержала меня в этом начинании и подготовила со мной программу вечера, где мне предстояло исполнить десять хореографических композиций!

Еще одно потрясение нам пришлось пережить буквально в день концерта: мои партнеры из Большого театра неожиданно отказались участвовать в концерте. У них срочно что-то заболело.

200

Узнав об этом, Екатерина Сергеевна не удивилась. Она сказала мне, что не стоит их сильно осуждать, так как актерская профессия очень зависима, к тому же есть еще и зависть, которая тоже постоянно сопутствует нашей профессии. Мне пришлось заменить намеченные дуэты на сольные вариации и номера. Получался воистину сольный концерт Волочковой.

Денег на рекламу у нас не было, афиши были напечатаны на обычном принтере. И удивительно, но, при отсутствии рекламы, зал был заполнен. Видимо, хорошо сработала передача информации «из уст в уста», что для меня всегда было свидетельством моей востребованности у зрителя.

Я помню, как перед началом концерта я со страхом и надеждой заглядывала в зрительный зал. И какое это было счастье, когда я, наконец, вышла на сцену и увидела, что в зале нет свободных мест. Среди зрителей оказались даже мои друзья и поклонники, специально приехавшие из Петербурга.

Незабываемым сюрпризом для меня стало появление на сцене с огромным букетом цветов Людмилы Николаевны Кучмы, супруги экс-президента Украины. Я познакомилась с ней в Киеве на балетном конкурсе, который она курировала. Вручая мне букет, Людмила Николаевна сказала: «Вот видишь, я все-таки приехала». Ее присутствие на моем концерте я расценила как большую поддержку.

Этот сольный вечер стал для нас с мамой драгоценным опытом и позволил поверить, что избранный мной путь самостоятельной организации концертов — правильный и вполне осуществимый, несмотря на все препятствия.

Глава 7

«СПАРТАК»

После того как я была принята в Большой театр, у меня появилась надежда станцевать в самом прославленном балете этого театра — в «Спартаке» Юрия Николаевича Григоровича.

Я много раз смотрела этот спектакль в записи. Он ошеломил меня грандиозностью постановки и необыкновенной красотой и сложностью хореографии, где в классику врывается современность. Образы главных героев увлекли меня своей яркой индивидуальностью и выразительной силой. Тогда я еще не могла предпочесть одну из двух героинь балета. Мне были интересны обе — и нежная, страдающая Фригия, и страстная, волевая Эгина. Каждая из этих героинь проживает на сцене свою историю любви.

Либретто к балету «Спартак» Григорович создавал по мотивам одноименного романа Раффаэлло Джованьоли и сюжетам древней истории. Тема восстания римских рабов и гладиаторов под предводительством фракийца Спартака раскрыта в балете как схватка двух антагонистических миров — мира римских патрициев и мира угнетенных ими рабов. В балете четыре главных героя — две конфликтные пары: Спартак и его возлюбленная Фригия; римский полководец Марк Красс и красавица куртизанка Эгина.

Балет был поставлен в 1968 году на музыку Арама Хачатуряна, который для этой постановки сделал новую музыкальную редакцию, учитывая особенности либретто.

Музыка Хачатуряна содержит колоссальную по мощи драматургию, создающую крупные мужественные характеры героев. Благодаря сплаву музыки Хачатуряна и хореографии Григоровича на сцене появилось масштабное, насыщенное танцами действие героико-романтического плана. Весь спектакль строится на контрастах: зрелищная стихия массовых сцен сменяется внутренними монологами героев. Обе пары главных героев — это равноценные противники по силе интеллекта и волевому началу. На сцене возникало скрещение и противопоставление двух дуэтов, двух танцевальных стихий.

Мне очень хотелось самой ощутить эту стихию, погрузиться в мощную хореографию балета.

И вот судьба подарила мне возможность доказать себе и всему балетному миру, что я не зря мечтала о роли Эгины. Сам создатель балета «Спартак» Юрий Николаевич Григорович пригласил меня на эту роль. Я сразу же приступила к репетициям. Моим педагогом в Краснодаре стала Ольга Николаевна Васюченко. Юрий Николаевич присутствовал на первых репетициях. Просмотрев несколько вариаций, подготовленных нами, он одобрительно сказал: «Настя, это — твое. То что надо. Вся твоя сексуальность, и красота, и гордая стать — это все туда, в спектакль».

Мне предстояло создать образ женщины властной и чувственной, искусной в любви, мудрости и славе и через эту искусность достигающей самых высот власти. И власти над мужчиной, и власти над Римом. Она любит Рим Красса и так же, как Красс, борется за него. Только воля исполнительницы решает, какой будет Эгина наедине с собой. Что для нее Красс — цель или средство? Труднее всего мне было соблюсти равновесие между двумя страстями — к мужчине и к славе.

Моя Эгина влюблена в Красса и готова на все ради него и во имя его славы. Она сама часть его славы, живой символ красоты — награда победителю. Мне было легко играть эту роль в паре с великолепным Марком Перетокиным, которого многие признают лучшим Крассом в истории балета.

В роли Эгины я хотела показать, что может женщина и что она значит в жизни воина и политика. Моя Эгина пристально следит за Крассом как за божеством. Она рискует ради него, идет на последние унижения и приносит немалую часть победы. Именно она задумывает и осуществляет план мести за те унижения, которые пережил Красс в лагере Спартака. Вместе с куртизанками она соблазняет воинов Спартака эротическими танцами и вином, а затем предает их Крассу. Легионеры Красса чествуют Эгину как победительницу.

Композитор Арам Хачатурян, по его собственным словам, к созданию «Спартака» готовился три с половиной года, путешествуя по Италии. Композитор изучал античные картины, скульптуры, триумфальные арки, созданные руками рабов, казармы гладиаторов, Колизей, часто проходил по тем местам, по которым когда-то шел Спартак со своими сподвижниками. И вот результат — в остроконфликтной драматургии балета противопоставлены два мира, две музыкальные сферы: воинственный, пышный Рим во главе с Крассом и его любовницей — танцовщицей Эгиной, и угнетаемые рабы, гладиаторы под предводительством Спартака и его возлюбленной Фригии.

Юрий Николаевич Григорович представил зрителям третью постановку, опять же в Большом театре. Он назвал балет «Спартак» «спектаклем для четырех солистов с кордебалетом». Получился изумительный спектакль по размаху, актерскому и хореографическому мастерству, и из трех постановок именно эта стала событием в балете, получившим резонанс на международном уровне.

Мой дебют в роли Эгины состоялся в Театре балета Григоровича в Краснодаре четвертого августа 2004 года. А уже через неделю на гастролях в Петербурге я вышла в этой роли на сцену Мариинского театра. Я чувствовала огромную радость и внутреннее озарение от того, что танцую в своем родном театре перед моими петербургскими зрителями. Мне очень хотелось, чтобы зрители увидели и оценили мою Эгину со всей сложностью ее внутреннего мира, который я хотела донести своим танцем.

Перед выступлением, как обычно, я очень волновалась. Надо сказать, что перед ответственными спектаклями это со мной случается — кажется, что не смогу на сцене сделать и шага. А потом делаю этот шаг и с каждым движением начинаю ощущать все большую власть над сценой и над образом героини. Я поняла, как мне нужно танцевать Эгину и что противоречий в ее образе, на самом деле, нет. Для нее потерять любимого, положение, власть и богатство — одно и то же. Она готова пойти на унижение, на жертву, на все что угодно — лишь бы сохранить то важное, что у нее есть. В этом присутствует потрясающая жестокость и потрясающая правда — Эгина должна перенести унижение, чтобы подняться. Это очень цельная личность, для которой нет ничего невозможного. И ее, куртизанку, несут над толпой, как триумфатора, и она, действительно, таковой является.

Есть ли невозможное для меня? Конечно, есть. Наверное, потому я всегда предпочитала очень много времени отдавать работе и не искать других способов, чтобы достигнуть признания. Меня считают скандалисткой? Пусть так. Специально я ничего не предпринимала для того, чтобы создать такое мнение о себе. Зато дурная слава очень помогает мне разобраться, кто в моей жизни является случайным человеком, а кто — другом навсегда. Сама я никогда не придаю значения известности человека. Главное — не громкое имя, а поступки. Важно, чтобы человек обладал теми качествами, которые и создают атмосферу дружбы, добра и любви. И зачастую друзья познаются не только в беде, но и в радости, потому что только искренний друг может порадоваться за твой успех, не позавидовав и не испытав ревности.

Считается, что в творческом мире невозможно иметь подруг из своего круга общения. Тем не менее у меня есть такой человек еще со времен Вагановского училища — Женя Еникеева. Мы дружим с ней до сих пор. Она была свидетельницей на моей свадьбе. И я считаю, что это самое светлое создание из всех женщин, с которыми мне доводилось дружить и общаться. Кроме того, мне кажется, именно Женя стала настоящей крестной матерью для моей дочери Ариадны (ее официальная крестная — Оксана Пушкина). Когда Женя приезжает к нам в гости, она общается с Аришей с таким неподдельным вниманием и искренним интересом к ее детским делам, что даже просто наблюдать за ними — огромное удовольствие. Я думаю, что именно такое серьезное отношение для ребенка гораздо важнее, чем некое мнимое участие. У самой Жени тоже родилась дочь. Хочется верить, что они с Аришей вскоре подружатся. А еще с питерских времен моим другом до сих пор остается Паша Каппин. Мы знакомы с ним уже около пятнадцати лет. Паша — чрезвычайно интересный человек, очень глубокий, общение с ним открыло для меня много нового и по-настоящему важного. Он ни на кого не похож, мыслит совершенно неординарно, а некоторыми его жизненными принципами я руководствуюсь как своими.

Паша подарил мне любовь к книгам Ошо — «Горчичное зерно», «Заратустра. Танцующий бог» и «Белый лотос». Паша открыл для меня мир действительно хорошего авторского кинематографа. И, кстати, именно он участвовал в создании первых моих видеоклипов: «Гибель богов. Вилисса» на номер, который поставил Эдвальд Смирнов, и «Изумительное изящество» на песню Джесси Норман. Это были самые дешевые в моей жизни видеоклипы, они были сняты за две тысячи долларов. Но, несмотря на это, я считаю, что «Гибель богов» — пожалуй, самый сильный мой клип. Он снят в скупой обстановке с простой декорацией, но с очень качественным светом и в легкой дымке. Но именно благодаря простоте получилась удивительно выразительная драматическая история. Паша научил меня отбирать самое лучшее из всех видов искусств — из эстрады, кино, оперы. И не только отбирать, но воспринимать, пропускать через себя и обязательно использовать это в своем творчестве.

Он всегда радовал меня своими песнями. Несколько песен Паша написал и посвятил мне в первые годы нашего с ним знакомства, и я, конечно, не могу их сейчас без слез слушать, потому что эти воспоминания связаны с моей юностью, с надеждами и душевным подъемом и с удивительной петербургской романтикой. А еще Паша научил меня танцевать не просто перед публикой, а видеть в зрителях своих друзей, своего любимого человека, то есть танцевать с очень хорошим личным чувством по отношению к людям, пришедшим в зал. Он сумел передать мне такое отношение своим примером, когда я приходила к нему на концерты и понимала, что он сейчас поет именно так, как если бы пел только для меня. И я счастлива, что мы до сих пор можем позвонить друг другу просто так, без всякого специального повода, поинтересоваться делами и порадоваться успехам и удачам или встретиться на семейных торжествах.

Так получилось, что в юности я в основном дружила с мальчиками. В полной мере «тусоваться» у меня никогда не хватало времени. Меня, кстати, очень резанули слова Екатерины Максимовой, которая в своих мемуарах упрекнула меня в любви к «тусовкам», тем более что речь шла о той поре, когда единственными моими со-тусовщиками в Москве были Владимир Викторович Васильев, сама Екатерина Сергеевна и моя мама.

Этот самый ужасный для меня период в Большом театре удручал не столько несправедливыми придирками руководителя балета Фадеечева, сколько постепенным уничтожением добрых отношений с теми людьми, которых я считала своими учителями и друзьями. И если Владимир Викторович максимально честно объяснял мне, что он сам далеко не все решает, то Екатерина Сергеевна просто раздражалась на какие-то мелочи, вроде камушков или перышек на сценическом костюме, лака на ногтях, гладкой прически, цветной пачки. Не знаю, действительно ли она считала, что я «выпендриваюсь», или ее кто-то так настроил против меня, но ее слова: «Настя, ну почему вы все стараетесь делать по-своему!» — однажды очень меня задели. Да, я всегда стараюсь все делать по-своему! Но это же нормально!

Ведь каждый человек — прежде всего индивидуальность. И в плохом, и в хорошем. Но в любом случае, мне кажется, что для педагога бросать свою ученицу без объяснения причин, именно в тот момент, когда ее заклевывают более сильные, — неправильно. Тем не менее Екатерина Сергеевна многому меня научила, и я благодарна ей за это. Царствие ей небесное. Я всегда буду помнить ее выдающейся балериной и моим добрым наставником.

Теперь о так называемых «тусовках». Честно говоря, я не являюсь большой любительницей великосветских приемов, просто воспринимаю их как необходимую часть своей жизни. Мне гораздо приятней проводить вечера дома с дочкой. Реже — с друзьями. Все дело в том, что с юности моими друзьями становились люди, которые старше меня на десятки лет. Общаясь со мной, они расширяли мой кругозор, делились жизненным опытом.

Юрий Николаевич Григорович — мой учитель, мой наставник, можно сказать, моя путеводная звезда и, конечно, большой, настоящий, верный друг. Никогда не забуду нашу с ним первую встречу! Я еще танцевала в Мариинском театре, и мне прислали приглашение на конкурс Сержа Лифаря, проходивший в Киеве. Срок на подготовку — десять дней. Директор труппы Махар Вазиев, узнав, что я собираюсь принять участие в конкурсе, назначил мне танцевать «Жизель» и в день отъезда, и в день возвращения (я уже писала о такой особенной театральной ревности в ситуации с «Лебединым озером»). Но я все равно стала готовить к конкурсу пять классических вариаций и один современный номер.

Современный номер был для меня чем-то невиданным в то время. Ведь в 1996 году классическая балерина редко могла иметь у себя в репертуаре подготовленный современный танец. Мы с мамой принялись искать хореографа и получили семь отказов. Звонили одному, другому, третьему — он согласился, а на другой день отказался под каким-то благовидным предлогом. Следующим был Игорь Бельский, руководитель Вагановского училища: «Я так люблю Настеньку! Завтра буду в зале в пять часов, выписывайте репетицию. Пусть приходит прямо в школу». Никакого Игоря Дмитриевича «завтра в пять» не было. Вечером мама дозвонилась до него. Тот сказал: «Извините, пожалуйста, мне позвонили, попросили этого не делать — я никак не смогу...» Потом та же история повторилась уже с директором труппы Малого оперного театра Боярчиковым. Семь раз кто-то (с голосом, один в один похожим на голос Махара Вазиева) звонил вслед за нами, и уже согласившиеся люди неожиданно отказывались ставить для меня танец. Выручил Мансур, папа Жени Еникеевой: «Нужен хореограф? Есть очень интересный и талантливый человек, его зовут Эдвальд Смирнов. Он ставит балетные номера фигуристам Алексею Урманову, Антону Сихарулидзе и Елене Бережной, театрам Романа Виктюка и Валерия Михайловского. У Эдвальда и свое шоу есть. Интересный человек! И он не откажет. Моя мама тут же засомневалась, сказав, что уж если на известных людей могут оказать влияние, запрещая работать с Настей, то ему-то все объяснят за пару секунд... Но случилось иначе.

За три дня до отъезда Эдвальд пришел и предложил подготовить совершенно «убийственный» с точки зрения классического балета номер на музыку Генри Перселла «Гибель богов. Вилиса». Я бы его назвала «устрашающей жюри чахоточной агонией с гордо поднятой головой». В изложении Эдвальда Смирнова номер выглядел следующим образом:

— Смысл такой. У тебя, считай, чахотка. Ты обречена на погибель. Стоишь и, глядя на свою руку, особо знаешь, что умираешь. Потом понимаешь, что на тебя смотрят зрители, и тогда делаешь вид, что все прекрасно. Ты должна умирать с гордо поднятой головой. Но смерть все же одолевает. В какие-то моменты ты становишься страшной, не просто погибаешь, а буквально разрушаешься. Части костюма будут отваливаться, отлетать как признаки жизни. В конце вылезет и останется в руках клок волос. Такая вот страшилка. Движения должны быть ломаные, резкие. Ты, агонизируя, падаешь в шпагат и барахтаешься, барахтаешься, а потом поворачиваешься спиной к зрителям и исчезаешь.

Выслушав весь этот бред, в первый момент я отчаянно запротестовала:

— Это же ужас какой-то! Да меня после такого номера вообще вычеркнут из списка живых балерин!

Но Эдвальд меня переубедил, сказав:

— Настя, то, что ты умеешь хорошо танцевать и красиво, элегантно выглядеть, покажешь в пяти вариациях. На шестой тебе надо продемонстрировать что-то кардинально другое, пусть даже и шокирующее. Решайся!

И я согласилась, правда, особого выбора у меня и не было. Как и времени на репетиции. Надо отметить, кстати, что Махар Вазиев побеспокоился о том, чтобы я не имела возможности репетировать в Мариинском театре. Поэтому мы пробирались в театр поздним вечером: сочувствующие дежурные открывали нам зал, заслуженные артисты России Маргарита Купик и Владимир Ким включали фонограмму Генри Перселла (тогда это были не CD и мини-диски, а... бобины с пленкой), а мы с Эдвальдом Смирновым вдохновенно репетировали его потрясающий танец, который до сих пор является одним из лучших моих номеров.

Сам конкурс мне вспоминается недосыпом, плавлеными сырками (единственный продукт, который был всегда на киевских прилавках) и отчаянной надеждой на успешное выступление. К счастью, надежда моя оправдалась: мне присудили золотую медаль. Осмелюсь заметить, что вторую премию не присудили никому. А председателем жюри был Юрий Николаевич Григорович. Так и началось наше знакомство, которое впоследствии переросло в дружбу. И не только с ним, но и с его женой Наталией Игоревной Бессмертновой, с которой мне посчастливилось репетировать, и с Ниной Семизоровой, ставшей моим педагогом после рождения моей дочери Ариадны. Мне вообще всегда везло на друзей: ими, как правило, становились очень неординарные люди.

Я считаю своим хорошим другом Иосифа Давыдовича Кобзона. Ценность некоторых его советов, можно считать, на вес золота. У него удивительный, богатый и неповторимый жизненный опыт. Мой брак с Игорем Вдовиным тоже очень благотворно повлиял на мою жизнь, потому что некоторые его знакомые впоследствии стали уже моими настоящими близкими друзьями. Александр Петрович Почнок с его супругой Наташей — люди, с которыми всегда интересно, с ними всегда можно быть самой собой, не пытаясь надевать какую-то маску. Александр Николаевич Шохин — крестный отец Ариадны. Он — необыкновенный человек. Я знаю, что в трудную минуту всегда могу рассчитывать на его совет и поддержку. Таймураз Дзанбекович Мамсуров, президент Северной Осетии, — человек, поражающий своим мужеством, жизненной силой и личным участием в жизни людей этой республики. На своем пути я встретила очень много удивительных, прекрасных людей. Спасибо судьбе, что вы есть — мои близкие друзья, от которых не хочется отстраняться, с которыми можно разделить и радость, и печаль. К большому сожалению, такую роскошь я не всегда могу позволить в общении с окружающими людьми. Иногда приходится со слезами видеть, как твой самый близкий друг неожиданно поворачивается к тебе спиной.

К началу написания этой книги я не разговаривала с мамой полгода. Если вы заметили, я благодарю ее чуть ли не на каждой странице. Мама принимала участие в каждом моменте моей творческой и личной жизни, но сейчас я уже понимаю, что это было, возможно, чрезмерное вмешательство. Полностью посвятив мне свою жизнь, она настолько вошла в эту роль, что сегодня мне кажется — теперь она хочет переживать свою жизнь через меня. Осознание того, что мы стали очень далеки друг от друга, стало для меня тяжелейшим ударом.

Это не первый удар, который я получаю от мамы. Однажды во время моего сольного концерта в КЗ «Россия» произошел кошмарный случай, о котором мне больно вспоминать. Мы с мамой стояли за кулисами и заспорили, какой номер должен идти раньше. Я хотела начинать с современной хореографической композиции «Хризантема», а мама настаивала на заунывном «Умирающем лебеде» Сен-Санса. Я не согласилась, и вдруг, разозлившись, моя мама со всей силы ударила меня по голове! За пять минут до выхода! Мне пришлось идти на сцену в подавленном состоянии, я не могла поверить, что она действительно это сделала!

В день моей свадьбы, знаменитые 07.07.07, седьмого июля 2007 года, в Тронном зале Екатерининского дворца собрались самые близкие люди — мои и моего мужа Игоря. Мама никогда не принимала моих близких мужчин, и Игорь не стал исключением, даже когда подарил мне такое сокровище — нашу замечательную дочку Аришу. Нас поздравляли, обнимали и целовали наши друзья, партнёры Игоря, мои балетные коллеги по театру. Мама Игоря, Римма Павловна, вышла на сцену и нашла удивительно тёплые нужные слова о том, как она любит нас и благословляет наш союз... На сцену поднялась моя мама. Повеяло холодом. «Ну, молодых я уже поздравила, — начала она. Это была неправда — мама не поздравляла нас. — Хочу пожелать всем гостям приятного вечера», — только и сказала она. Лишь дежурные пожелания гостям и ни слова для меня, для моего мужа. А я так ждала...

Когда-то мы часто спорили с мамой о том, что и как нужно делать: о репертуаре, о костюмах, даже о том, какую фотографию выбрать на афишу. Иногда я позволяла себе говорить ей какие-то обидные и несправедливые слова, о которых потом очень сожалела. Долгое время мама занималась всей моей творческой деятельностью и была рядом со мной от и до, заменяя мне продюсера, директора, администратора, помощника, пресс-секретаря, но сегодня мне уже помогает моя собственная профессиональная команда, близкие мне по духу люди. На протяжении десяти лет, которые я собирала свою команду, мама не принимала ни одного человека, появившегося в ней, видя в этом какую-то угрозу для себя.

Год назад большим шоком для меня стало требование мамы платить ей проценты с каждого моего концерта. Я, конечно, не миллионер, но своим искусством зарабатываю и на себя, и на свою команду, и, конечно, на своих близких. С семнадцати лет я являюсь основным источником доходов в моей семье. Поверьте, моя мама не бедствует. Она живет в большой квартире в самом центре Санкт-Петербурга, регулярно ездит отдыхать и ни в чем не испытывает нужды. «Ты многим обязана мне, так что ты должна мне выплачивать комиссионные со всех твоих проектов», — сказала тогда моя мама, предложив перевести наши отношения на финансовую основу. Меня огорчил такой «материнский» подход, я отказалась говорить на эту тему. Мамина реакция не заставила себя ждать.

Когда-то мама убедила меня, что все свое имущество я должна регистрировать на ее имя — тяжбы с Большим, какие-то нелепые процессы со строительными рабочими, мало ли что, — я послушная дочь, делала все, что мама просила. «Вокруг тебя одни жулики, обманут, оберут тебя до нитки», — говорила мне мама. Даже мужу Игорю убеждала не доверять — а вдруг тоже обманет! Так что я, в полной уверенности, что у мамы все как-то надежнее, переписала на ее имя и недвижимость, и участок земли.

Каково же было мое удивление, когда я вдруг узнала, что моя балетная студия в Санкт-Петербурге, прямо напротив Мариинского театра, по словам мамы, уже продана! А меня даже никто не спросил! «Не стала тебя беспокоить, — объяснила мне мама, — у тебя и так много проблем. Да и вообще — это моя собственность. Что хочу, то и делаю».

Бог с ней с недвижимостью. На улице я не окажусь, и слава богу. Но тут вдруг оказалось, что я и сама себе больше уже не принадлежу. Мама всегда держала мою творческую деятельность под своим контролем. Так что неудивительно, что именно она является распорядителем Фонда Анастасии Волочковой, которому принадлежат все авторские права на мои спектакли, права на мою творческую деятельность, мои изображения, мой логотип — всё! Моя просьба переоформить права на мое имя вызвала жесткий ответ — ни за что. Абсурд, но сегодня я не могу пользоваться фондом, который носит мое имя! Не могу проводить через него расчеты с партнерами и концертными площадками! Мне нужно посылать курьера в Санкт-Петербург, чтобы получить мамину подпись по любому поводу!

Это должна быть глава о моей боли, о том, что близкий человек, на которого всегда надеешься и можешь положиться, сегодня доставляет самые большие огорчения и страдания. Человек приходит в эту жизнь один, но рождается, несмотря на то, благодаря маме. Мужа и коллег по работе можно выбирать, но родителей и детей — нет. Я очень сильно переживаю, что сегодня у меня нет взаимопонимания с моей дорогой мамой, что она становится все более озлобленным и ожесточенным человеком, что мы все дальше и дальше друг от друга.

Мама, если ты читаешь эти строки — знай, что мне очень не хватает тебя...

Глава 8

«ЖИЗЕЛЬ»

С балетом «Жизель» в моей жизни связано несколько ярких эпизодов — и плохих, и хороших. Но прежде хотелось бы рассказать о своем отношении к нему. Самое главное, мне кажется, состоит в том, что этот балет помимо хореографического совершенства содержит в себе удивительную глубину и драматизм. Я бы назвала «Жизель» изысканным психологическим шедевром, в котором балерина, исполняющая заглавную партию, может показать всю гамму полутонов классического танца и в то же время — выразить актерской игрой весь диапазон женственности и душевных переживаний. Поэтому здесь, кроме отточенной техники, требуется еще и очень тонкая, проникновенная актерская игра. Партия Жизели является проверкой зрелости таланта и мастерства исполнительницы. Станцевать «Жизель» — мечта любой классической балерины.

В партии Жизели блистала Галина Сергеевна Уланова, а ведь немногие знают, что она в свое время отложила эту роль на двенадцать лет (это можно назвать настоящим подвигом, ведь для каждой балерины такая роль — как бриллиант), не чувствуя себя к ней готовой. Я думаю, что готовность к «Жизели» заключается не только в техническом мастерстве, но и в накопленном эмоциональном опыте. Проще говоря, в своей личной жизни балерина уже должна столкнуться с предательством, пережить его и простить. Впрочем, жизнь артиста изобилует такими моментами, и мы с самой юности учимся их избегать.

Я думаю, что по эмоциональному воздействию на зрителя «Жизель» — один из самых сильных, самых мощных балетов. В нем заложена идея двойного очищения — через раскаяние Альберта и прощение Жизели. Напомню читателям чудесный сюжет этого балета.

В основе либретто лежит трогательная история любви простой крестьянской девушки Жизели, поверившей в искренность ухаживаний знатного дворянина, графа Альберта. Узнав об обмане любимого, Жизель сходит с ума и, умерев, попадает в мир вилис — девушек, умерших от несчастной любви, которые ночью подкарауливают приподнявшихся мужчин и затанцовывают их до смерти. Та же участь постигла бы и Альберта, пришедшего в раскаянии на могилу к обманутой им девушке, если бы восставшая из могилы Жизель не защитила его от коварных вилис силой своей искренней любви. Жизель отличалась от вилис тем, что у нее сохранилась Душа. Вот такая, казалось бы, простая история с потрясающей по своей законченности и красоте хореографией.

Мне, например, очень нравится, как перекликаются два момента спектакля. Один из них — сцена, в которой Жизель гадает на ромашке, любит или не любит ее Альберт, и цветок говорит ей правду, а Альберт отрывает «лишний» лепесток и убеждает Жизель, что она случайно ошиблась в счете. И другой — сцена сумасшествия, когда Батильда, невеста Альберта, узнает его в простой крестьянской одежде, а Жизель, понимая, что ее обманули, вспоминает о том гадании на ромашке. В этой совершенной искренности и беззащитности Жизели мне видится огромный по силе и красоте замысел. Что, в общемто, неудивительно, поскольку балет является детищем двух влюбленных в одну женщину мужчин.

История сотворения «Жизели» не менее романтична, чем сам сюжет спектакля. Сценарий был написан французским поэтом и романистом Теофилем Готье по старинной славянской легенде, воспроизведенной Генрихом Гейне в его книге «О Германии». Теофиль Готье успел влюбиться в двадцатилетнюю балерину Карлотту Гризи и писал либретто «душой влюбленного поэта», а знаменитый хореограф Жюль Перро, поставивший балет, тоже был влюблен в Карлотту и создавал ее как балерину, делал все, чтобы превратить в звезду мировой величины.

Премьера двухактного балета «Жизель» состоялась двадцать восьмого июня 1841 года в Королевской академии музыки в Париже. Партию графа Альберта исполнял Люсьен Петипа — младший брат Мариуса Петипа — отца классического русского балета. И балет, и Карлотта Гризи имели грандиозный успех. Не зря Серж Лифарь в свое время назвал «Жизель» «апофеозом романтического балета».

С конкурсом Сержа Лифаря и «Жизелью» связан один из эпизодов моей жизни, который закончился знакомством с Юрием Николаевичем Григоровичем и победой на конкурсе. Золотую медаль я получила из рук самого Юрия Николаевича, который был председателем жюри. Я уже рассказывала об этом конкурсе, остается добавить маленький штрих, может быть, не очень важный, но вполне характеризующий балетные нравы. «Благодаря» Махару Вазиеву, который в то время был директором балетной группы в Мариинском театре, мне пришлось танцевать партию «Жизели» и в день отъезда на конкурс, и в день возвращения с него. Конечно, это было тяжело и физически, и психологически. Однако в Петербург я вернулась хоть и очень уставшая, но счастливая. И, воодушевленная победой, я танцевала «Жизель» с особым вдохновением и наслаждением. Горячий прием, который устроила мне публика, я восприняла тогда как поздравление с победой на конкурсе. Можно сказать, что я сияла и лучилась радостью и, честно говоря, даже ждала пусть незначительных, но все же поздравлений от коллег. Но в театральном мире это, как оказалось, не принято. Меня в основном окружали если не кислые, то в лучшем случае равнодушные выражения знакомых лиц.

А на следующий день после спектакля в театре вывесили отвратительную статью (какая оперативность!) о том, что Волочкова танцевала с накрашенными губами, блестящим маникюром и кольцами на пальцах.

Уважаемые мои читатели, если вдруг вы прочитаете что-то подобное о любой балерине, не верьте! Ни один педагог не разрешит выйти на сцену «в кольцах», особенно в спектакле, уж никак не допускающем подобных украшений. Та же история — с макияжем и ногтями.

Особенно досталось моим ногтям, которые из-за волнения на конкурсе были обломаны и обгрызены. Но автору статьи они показались слишком блестящими и слишком длинными. В той же статье мне был дан совет повесить мою золотую медаль на грудь Жизели. Вот такое поздравление я получила через театральную прессу.

Я рада была хотя бы тому, что в этой злобной статье ее автор — Татьяна Кузнецова, которая сегодня пишет в «Коммерсанте», не могла сказать ни одного дурного слова о моем исполнении партии Жизели.

Для меня тогда упоминание о маникюре показалось особенно обидным, поскольку от конкурсной нервотрепки я буквально сгрызла свои ногти чуть не до мяса. Представьте себе, и у примы-балерины Волочковой случаются настолько волнительные моменты в жизни, когда она делает несвойственные ей вещи, граничащие с дурными привычками. Все мы, прежде всего, люди. И горечь от несправедливых обвинений вместо ожидаемой радости от поздравлений стала в тот момент для меня некой отправной точкой для изменения жизненной позиции. Я решила для себя, что

223

больше никогда не буду искать поддержки и одобрения окружающих, что силы и страсть для дальнейшей работы надо искать только внутри себя. Ну и, конечно, рассчитывать следует только на самых близких и преданных людей и, конечно же, на себя.

Но если отставить негативные воспоминания, то балет «Жизель» для меня, прежде всего, связан с работой, которой руководила прекрасный педагог, мой первый любимый учитель Наталья Михайловна Дудинская. Она обучала меня в Вагановской Академии, и впоследствии мне выпала честь работать с ней в Японии, когда Наталья Михайловна переносила постановку балета «Жизель» на сцену Национального театра в Токио.

Заглавную партию мы танцевали с Андреем Уваровым. Честно говоря, я тогда испытала некий, как принято говорить, культурный шок, поскольку мы с Андреем были единственными русскими танцовщиками в постановке и выглядели, в общем, как пришельцы с другой планеты, особенно на фоне невысокого роста вилис с раскосыми глазами. Ощущения запредельные! К тому же русская школа и манера исполнения отличаются от японской. Просто небо и земля. Впрочем, здесь даже трудно говорить о некоем различии школ. На мой взгляд, вопрос стоит иначе: драматизм и его отсутствие. Мне кажется, японские балерины и танцовщики несколько напоминают на сцене роботов. Они удивительно техничны и все время репетиций тратят на оттачивание движений. В их исполнении не может быть двух вариантов. Это впечатляет, но не трогает. Когда я смотрела на их выхолощенную графику движений, меня не отпускало ощущение какой-то безжизненности. Впрочем, я вообще не пред-

Русская баня — счастье в моей жизни

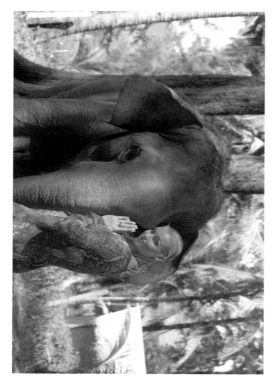

С очаровательным слоненком на Сейшелах

Отдых на Кипре

Саратов. Встреча в аэропорту
перед моим благотворительным концертом

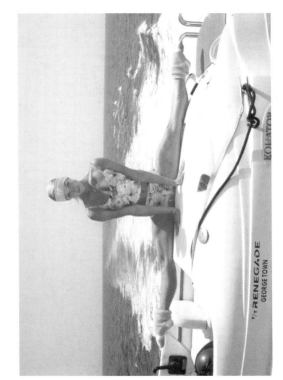

На яхте в Средиземном море

Дубай — мое любимое место отдыха

Репетиция на Трафальгарской площади

Anastasia
Volochkova

Star ballerina returns to London

Nerve

A dramatic heart-stopping dance show

FRI 17 & SAT 18 JULY
THREE PERFORMANCES ONLY

LONDON COLISEUM

Box Office: 0871 911 0200

Афиша премьеры
моей программы «Нерв»
в знаменитом лондонском
театре «Колизей»

На мосту Вестминстер

FREED — мой самый любимый балетный магазин в центре Лондона

Подражая Анне Павловой

Фото Влада Локтева

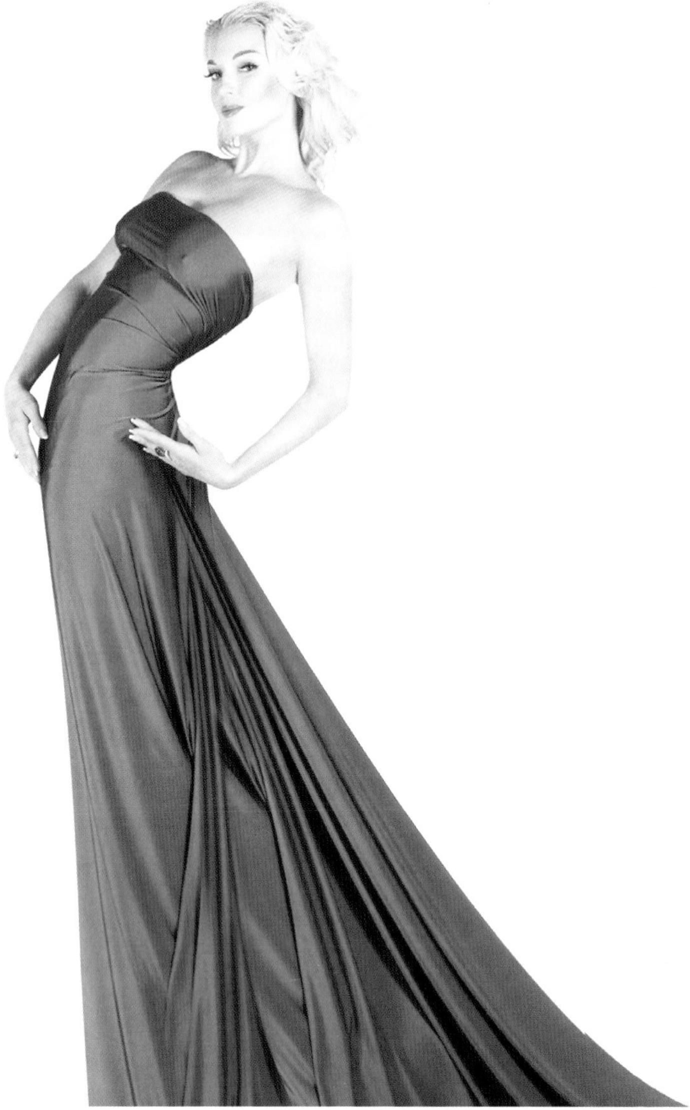

Фото *Галины Андреевой*

Фото *Геннадия Калашникова*

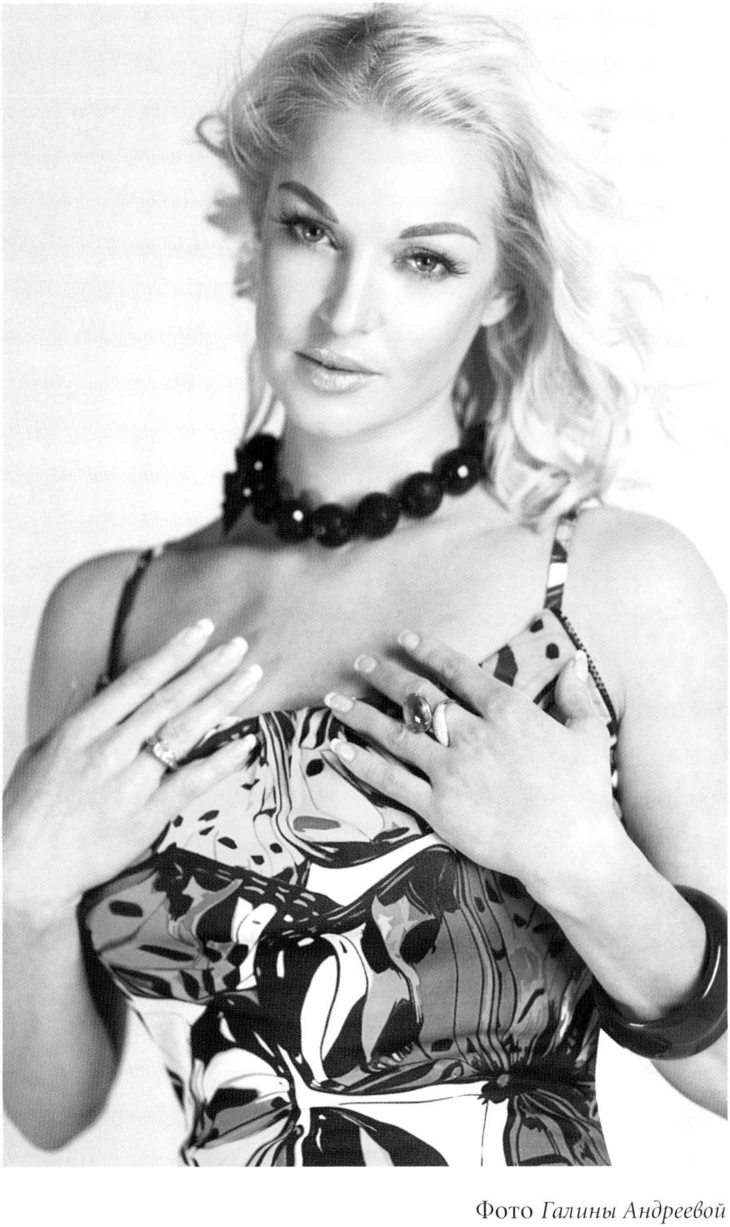

Фото *Галины Андреевой*

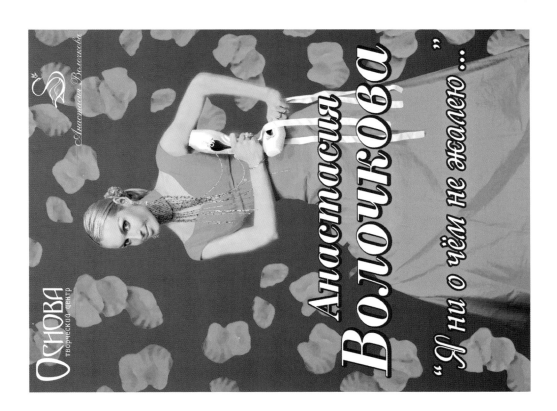

Афиша программы «Я ни о чём не жалею»
Фото Геннадия Калашникова

Родной Санкт-Петербург всегда в моем сердце

В редкую минуту отдыха

В роли Натальи Гончаровой в фильме «Черный принц»

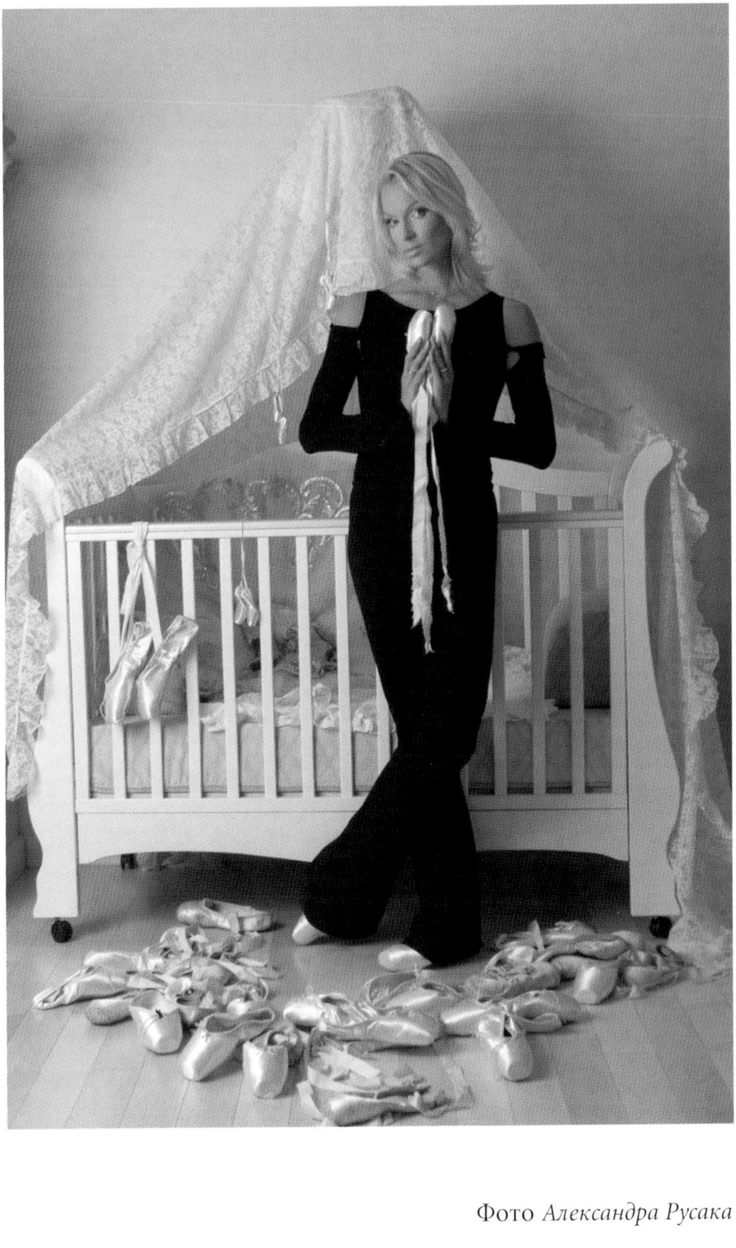

Фото *Александра Русака*

Игорь Вдовин. Идеальный мужчина в моей жизни

Дорогая мама

«Ледниковый период» с Антоном Сихарулидзе

В полете на льду

С Ильей Авербухом и Чулпан Хаматовой
на пресс-конференции

С Александром Жулиным в ожидании оценок

Милый остроумный Алексей Ягудин

На кладбище в Беслане,
которое теперь называют Город ангелов

В школе № 1 г. Беслана

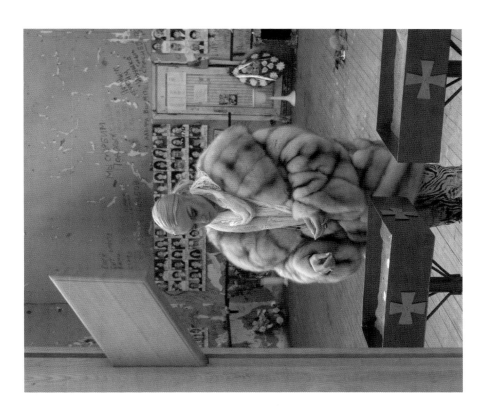

Беслан. Наша общая боль

Лицо ювелирной компании «ZARINA».
Лучшие друзья девушек — сами знаете что...

ставляю, как они могут так одинаково танцевать из спектакля в спектакль.

Для меня сцена — это живая танцевальная стихия. Всегда бывают какие-то нюансы: особенности покрытия пола, исполнения музыки (когда оркестр сыграл чуть медленней или чуть быстрей привычного ритма), возможные ошибки балерины или партнера... Из таких ситуаций нужно уметь выходить, нужно быть готовым к форс-мажору, ведь его невозможно предусмотреть — слишком много составляющих, от которых зависит успех постановки. А если в танцовщика в буквальном смысле закладывается одна-единственная программа действий, то в нестандартной ситуации он тут же теряется, механизм ломается, и рушится вся цепочка.

В общем, я — за русский балет и русскую школу! За его душу, его проницательность, трогательность, за искусство, которое передается от души к душе, от сердца к сердцу. А путем механической работы такого «высокого полета» достичь невозможно. Кстати, именно это очень хорошо понимали Агриппина Ваганова и ее самая благодарная ученица Наталия Дудинская.

Наконец, пришло время рассказать о Наталии Михайловне Дудинской подробнее. Каким она была человеком? Строгим, самолюбивым, даже властным и одновременно очень добрым и остроумным.

Я уже рассказывала о том звездном моменте моей жизни, когда получила предложение танцевать в Мариинском театре еще во время учебы в Вагановском училище. Со своей радостью я сразу побежала к Наталии Михайловне. Ведь именно она привила мне это «неудобное» качество для артиста: я всегда настолько влюблялась в своих педагогов, что относилась к ним почти как к родителям и впоследствии очень переживала, когда уходила от одного к другому. Хотя, конечно, это естественный процесс роста, и я осознавала, что иначе и быть не может, но у меня всегда оставалось мучительное чувство вины. Мне казалось, что я бросаю и чуть ли не предаю своего родного человека.

С Наталией Михайловной я тоже пережила подобный момент. Когда сообщила ей о сделанном мне предложении, она вдруг категорически запретила мне соглашаться, сказала, что я должна выпуститься из Вагановского училища как все, в обычном порядке. И, в общем, это можно понять, ведь, приняв предложение, я фактически лишала ее возможности с блеском выпустить меня как свою ученицу. Здесь также надо понимать, что Наталия Михайловна была единственным педагогом Вагановского училища, выбившим себе ученицу. Но упустить такой шанс! Шанс попасть в труппу Мариинского театра и с первого дня занять в ней столь высокую позицию — упустить его навсегда! Я решила все-таки принять предложение дирекции Мариинского театра, вопреки пожеланию моего педагога. И Наталия Михайловна очень обиделась. Да еще и злые языки постарались усугубить ситуацию.

Позже мы, к счастью, помирились, я сумела както донести до нее, что в таком неординарном предложении, в первую очередь, была ее заслуга. Я бы потом всю жизнь мучилась от сознания, что мой первый, любимый педагог держит на меня обиду, испытывала бы всем знакомое разрушительное чувство, когда «душа не на месте».

К тому же мы ведь очень близко дружили, Наталия Михайловна часто приглашала меня в гости, приходила на мои концерты и спектакли.

Наталия Михайловна приветствовала создание мною моей сольной концертной программы. Она и сама была реформатором. Наталия Михайловна хранила классические традиции, но ей не чужд был и дух современности. Из моего репертуара она больше всего любила неклассический, шуточный номер. Он так и назывался — «Шутка». Я его танцевала под легкую эстрадную мелодию в забавном расклешенном золотистом комбинезончике и в таком же золотистом парике. Наталия Михайловна умела и любила радоваться, но никогда не позволяла себе расслабляться во время работы и на уроке.

И уже позже я осознала, насколько гениальным педагогом была Наталия Михайловна. Она правильно понимала и преподавала методику Агриппины Вагановой, когда главное — не научить «как», а помочь выбрать свой путь для достижения нужного результата, исходя из личных особенностей и возможностей. Наталия Михайловна всегда говорила: «Девочки, я не понимаю, почему вы не вертитесь? Вставайте и вертитесь. И все...» Сначала я думала: «Ну как это? Надо ведь научить, рассказать, показать,

227

как вообще вертеться». И только потом я поняла: Наталия Михайловна заставила каждого ученика найти свой прием, раскрывала в нас то, что уже заложено природой. В каждом — свое. К тому же она меняла само отношение к работе над пластикой. Говорила нам, что танец — это больше, чем работа, — это любовь. И если любишь, то работаешь с утра до ночи. И еще, добавляла она, танец — это способность передавать эмоцию, рожденную музыкой.

Мне очень крупно повезло, что именно Наталия Михайловна первой показала мне сцену Мариинского театра. Она научила меня смело, с размахом жить на сцене и никогда не бояться зрителя. Рисковать и еще раз рисковать. Во всем!

Я преклоняюсь перед Наталией Михайловной за отношение к ее педагогу Агриппине Яковлевне Вагановой. Случилось так, что в Мариинском театре против Вагановой ученицы организовали почти заговор, Наталья Михайловна была единственной из них, которая не только не пошла против, но и встала на защиту любимого учителя. А вот что сама Агриппина Яковлевна писала о своей ученице: «Дудинская достигла тех высот, в которых превосходит большинство балерин. Заражающая всех энергия, подъем в работе Тали Дудинской незабываемы и на сегодняшний день. Ее появление в классе совершенствования артистов вдохновляет, и больше всех — меня. При замечаниях-поправках нет такого штриха в ее исполнении, который она пропустила бы мимо ушей. Это артистка, обожающая свое искусство и относящаяся к нему с глубоким уважением, — вот в чем секрет ее огромных достижений в танцах. Она горит, когда творит на сцене».

Больше всего от своих педагогов Наталии Михайловны Дудинской и Инны Борисовны Зубковской я перенимала так называемые «уроки жизни». Балету может научить любой хороший профессионал, а вот бороться в жизни с собой и своими недостатками — только очень сильный, талантливый и неординарный человек. Например, показать и передать механизм реакции на неожиданные и негативные события. Ведь если что-то происходит не так, как хочется, не надо воспринимать ситуацию негативно. Не нужно от нее бежать и прятаться, наоборот, лучше остановиться, преодолеть свой страх, принять бой, осознать, что, может, ты что-то делаешь неправильно, и такая ситуация — всего лишь возможность измениться.

Мне, например, свойственно не по одному разу пересматривать свои поступки, снова и снова анализировать произошедшие события, пытаться найти логическую связь между разными ситуациями. Каждый раз, когда происходит что-то негативное, я начинаю вспоминать, за какие свои действия могла получить такое возмездие. Мой духовный отец Борис называет это мое свойство самоедством. И я, действительно, стараюсь обрести в жизни спокойствие и равновесие, потому что невозможно все время бросаться из крайности в крайность: то пилить себя бесконечно, то неожиданно уверовать в собственную непогрешимость. Последнее, правда, случается очень редко. И я понимаю, что впадать в крайности вообще характерно для русского человека, поэтому меня в последнее время так притягивает восточная философия. Она, как мне кажется, учит находить некую точку равновесия и дает умение погружаться в себя, властвовать над своими эмоциями и поступками.

К спектаклю «Жизель» имеет отношение еще одна история, которая стала апогеем моих злоключений после ухода из Большого театра, но сегодня вспоминается чуть ли не как смешной эпизод. Моим первым благотворительным концертом после увольнения как раз стал спектакль «Жизель». Я отлично помню, что он состоялся двадцать девятого сентября на сцене Большого драматического театра в Петербурге. А накануне спектакля мне позвонила главный редактор журнала «Vogue» и предложила как нечто совершенно исключительное: мол, мои фото будут на обложке, и на одном развороте с Джонни Деппом. Я просила ее провести съемку как можно раньше, потому что мне тяжело будет танцевать, если я прилечу в Петербург в день спектакля. Но она строго сказала, что время изменить нельзя, поскольку специально из Лондона приезжает фотограф буквально на несколько часов. Надо сказать, она была очень убедительна, и я наивно ей поверила.

И вот меня подвесили над сценой на пятиметровой высоте в брезентовых зашнурованных шортах, привязанных к канату, в невообразимом наряде с шляпкой, да еще и петлей на шее, поскольку по сценарию я изображала девушку, погибшую от несчаст-

ной любви к пирату (то есть к Джонни Деппу). Я только и думала о том, как бы побыстрее закончилась эта съемка. Между тем «модный фотограф из Лондона» вдруг неожиданно удалился из зала со словами: «Подождите пять минут, пожалуйста...» И эти пять минут превратились в десять, пятнадцать, двадцать... А потом ушли все. Совсем все. А я осталась висеть на той самой пятиметровой высоте в гордом одиночестве. В завершение всего на галерке упал софит, и в зале начался небольшой пожар.

Что я пережила в тот момент, страшно представить! Судебный процесс с Иксановым уже был в самом разгаре, меня чуть не каждый день донимали звонками с угрозами. В общем, я решила, что таким оригинальным способом меня просто хотят убить, инсценировать если не повешение, то просто гибель при пожаре. А потом объявят о несчастном трагическом случае, произошедшем во время фотосъемки. И я так живо все это себе представила, что уже действительно приготовилась отдать богу душу и начала читать последнюю свою молитву. Правда, веревку с шеи я все-таки скинула, чтобы хоть этим нарушить план злопыхателей, затеявших эту инсценировку!

И в эту минуту на канате спускается девушка-циркачка и говорит мне: «Анастасия, это программа „Розыгрыш“». А я в то время жила в такой паранойе, что даже не могла помыслить ни о каком розыгрыше, да к тому же телевизор я вообще редко смотрю, а тогда тем более не смотрела и не знала, что вообще есть такая программа. Единственное, что я смогла пролепетать: «Как отсюда можно поскорее выбраться?» И уже потом только меня опустили на сцену, прибежали люди с цветами, извинениями и поздравлениями. И после такого стресса на следующий день я танцевала «Жизель». С другой стороны, уже гораздо позже, когда я посмотрела сюжет программы «Розыгрыш» с моим участием на экране, то смеялась над своей реакцией, поведением и беззащитностью как никогда в жизни.

С балетом «Жизель» также совершенно случайно оказалась связана одна из самых необычных встреч в моей жизни. Знакомство и короткий роман с Джимом Керри окончательно убедили меня в том, что публичные люди бывают весьма далеки от своих экранных образов, а иногда даже совершенно противоположны им. Как-то раз мой приятель, голливудский продюсер Боб ван Ронкель, не сказав мне ни слова, пригласил Джима в Большой театр на «Жизель» с моим участием. Уж не знаю, что такого знал или слышал обо мне уже тогда знаменитый комик, только он прыгнул в свой самолет и примчался в Москву прямо из Лос-Анджелеса.

После спектакля Джим прошел за кулисы, мы познакомились, и он попросил меня показать ему Москву. Мы поехали в одно из моих самых любимых мест, на Воробьевы горы. За нами неотступно следовала милицейская машина сопровождения, это настораживало и удивляло голливудскую звезду, не привыкшую к такой опеке правоохранительных органов.

С первых минут знакомства Джим не переставал удивлять меня. Вечно кривляющийся на экране человек-маска вдруг оказался очень серьезной, глубокой, погруженной в себя личностью. Джиму очень понравилась Москва, и, как выяснилось позже, не только Москва, но и его спутница по прогулкам...

Отношения между артистами редко бывают продолжительными. Постоянные разъезды, жизнь между аэропортами и гостиницами, бесконечные интервью и встречи с «нужными» людьми — все это мало способствует возникновению глубоких чувств между мужчиной и женщиной. Мы встречались урывками, в разных европейских столицах, когда наши маршруты совпадали. Если я оказывалась в США, Джим специально прилетал в те города, где находилась наша труппа.

Я не уставала поражаться, как далек Джим Керри от своих киношных героев. Молчаливый, задумчивый, склонный к долгим погружениям в себя, каждый день уделяющий несколько часов для медитаций. Лично я обожаю людей, любящих от души пошутить и посмеяться, но с Джимом, как ни странно, мы в основном говорили на серьезные темы. Едва приоткрыв свой внутренний мир для меня, этот человек очень быстро стал мне близок.

Когда Джим снова оказался в Москве, я повела его, конечно же, на Воробьевы горы, ставшие уже «нашим» местом. Вокруг нас тут же образовался круг поклонников и зевак, плотное кольцо охраны. И вдруг Джим, явно устав от избытка внимания, попросил охрану оставить нас одних и предложил мне спуститься вниз. Мы оказались совсем одни, и вдруг, совершенно неожиданно для меня, он сделал мне предложение. Мы долго проговорили, я была тронута его искренностью и серьезностью. Я убедила Джима, что нам не нужно связывать себя какими-то формальными обязательствами. Наш образ жизни не позволил бы нам полностью посвятить себя друг другу, а без этого не стоило принимать такое важное для нас решение.

Сегодня, когда я вспоминаю тот миг, я спрашиваю себя, а правильно ли мы поступили тогда. Все-таки думаю, что да, — вряд ли эти отношения продлились бы долго, а так в моей памяти остались только добрые и прекрасные воспоминания об одном из самых загадочных людей нашего времени.

Напоследок — о «Жизели» в Краснодаре. Этот балет Григоровичу поставил в своем театре в октябре 2007 года. Я танцевала премьеру. Перед самым спектаклем несколько репетиций со мной провела Наталия Игоревна Бессмертнова. Ее Жизель на сцене Большого театра осталась одной из лучших в памяти зрителей. Она вызывала неизменное восхищение одухотворенностью и изысканной техникой.

Советы Наталии Игоревны на наших репетициях были очень созвучны моему пониманию этого образа. Она говорила, что Жизель в первом акте должна быть жизнерадостной и естественной, и я старалась не подчеркивать изначальную обреченность своей героини. Моя Жизель умирает не от болезни сердца, а от предательства любимого.

Бессмертнова присутствовала на премьере. А через несколько месяцев мы танцевали этот спектакль уже в память о ней. Тяжело поверить, что Наталыи Игоревны больше нет. Невозможно осознать, что она больше не войдёт в гримёрку, не скажет нужные слова, не сделает предупредительных замечаний и не позвонит после спектакля.

Уход Наталии Игоревны Бессмертновой — не только личная потеря для Юрия Николаевича Григоровича, но и для всех, кто так или иначе был близок к ней. Я причисляю себя к этим людям. Она отдала мне часть своей души, своего умения. И это останется со мной навсегда.

Глава 9

«КОРСАР»

Увы! Любить свободным лишь дано!

Джордж Гордон Байрон, Корсар

Балет «Корсар» представляется мне самым эклектичным из всех, которые мне приходилось танцевать. В моем сознании сюжет «Корсара» забавно переплетается с детским чтивом о приключениях капитана Блада, смутными мотивами сказок Шехерезады и остаточными воспоминаниями о потрясении, испытанном после прочтения байроновской поэмы, от которой, кстати, в балете осталось совсем мало. По крайней мере образ главного героя лишился основной трагической темы: «Он будет жить в преданиях семейств с одной любовью, с тысячью злодейств». Затото упрочилась идея равенства любви и свободы, которую героям повествования приходится отстаивать и защищать. В общем, беспроигрышный сюжетный ход к сердцам зрителей плюс парад классических хореографических номеров (от разных маэстро) сделали балет «Корсар» одним из самых красивых и популярных, если можно так выразиться, кассовых хитов на все времена.

Корсар Конрад влюбляется в воспитанницу купца Исаака, гречанку Медору, и спасает ее от участи невольницы в гареме паши Сеида, которому ее продал опекун. Но один из корсаров предает Конрада, опаивает его сонным зельем и уводит Медору во дворец паши. Конрад пытается освободить Медору, однако попадает в руки паши, согласному помиловать корсара взамен согласия Медоры стать его женой. Влюбленным помогает невольница Гюльнара, Конраду и Медоре удается бежать.

Впервые я танцевала партию Медоры — возлюбленной капитана корсаров Конрада — на сцене Мариинского театра. Для меня это была очень счастливая и отчасти безмятежная постановка. Достаточно перечислить моих партнеров: Александр Курков (Конрад), Константин Заклинский и Фарух Рузиматов. Великолепные танцовщики, красивые мужчины, танцевать с которыми для меня было огромной радостью и, не побоюсь этого сказать, истинным наслаждением. Если обыгрывать балетную ситуацию в жизни, мне трудно было бы выбрать среди них возлюбленного, тем не менее, именно это должна была сделать моя героиня на сцене. И мне кажется, что смятение в момент выбора мне всегда удавалось очень правдиво показать, поскольку как раз именно это чувство я и испытывала.

В целом же, я думаю, без участия в «Корсаре» именно в постановке Мариинского театра балерина вряд ли сможет постигнуть и охватить все стороны классической петербургской балетной школы. Московской школе — школе Большого театра — все-таки в первую очередь свойственны шик и парадность, эффектно подчеркнутая внешняя сторона. Постановки Мариинского отличаются грациозностью, полутонами, изысканностью и особой, я бы даже сказала, европейской королевской статью.

В балете «Корсар» все эти черты особенно хорошо видны. Сначала в первом акте, когда Медора появляется в слегка фривольном и темпераментном танце рыбачек. Потом ее танец приобретает черты свободного полета, безграничного небесного ликования. Позже Медора исполняет танец рабыни, но при этом в ее движениях живут своя особая гордость и независимость. Она временно подчиняется обстоятельствам, но не смиряется с ними. Медора танцует как человек, готовый в любой момент изменить свою участь. Да и в принципе тема свободы и независимости — ключевая в «Корсаре».

Конечно, эта партия находила живой отклик в моей душе: я видела в героине черты, свойственные и мне самой.

Еще, пожалуй, следует упомянуть об одной забавной ситуации, связанной с балетом «Корсар». Мы танцевали спектакль в паре с замечательным танцовщиком Андреем Яковлевым. В сцене у грота есть один технически сложный момент: Медора делает большую диагональ с вращениями. Конрад в это время наблюдает за ней, лежа на кровати с подушками в восточном стиле. В конце вращений Конрад должен подхватить Медору на руки. Эффектная сцена, причем мой педагог в Мариинском театре Ольга Николаевна Моисеева научила меня исполнять эту диагональ очень бравурно и быстро. В результате Андрей, лежа на кровати, так загляделся на меня, что забыл про то, что ему в какой-то момент нужно все-таки подняться и поймать героиню. В общем, диагональ я закончила самостоятельно. В зале раздались аплодисменты, и Андрей, даже не пытаясь приподняться с кровати, но радостно улыбаясь, заапладировал вместе со зрителями. Это было смешно, трогательно и, на самом деле, ничуть спектаклю не повредило. По крайней мере на настроении публики ситуация отразилась только в лучшую сторону.

Я всегда считала, что жизнь должна быть естественной, красивой и гармоничной. Замечательно, когда в ней присутствует то самое Бунинское «легкое дыхание». Невозможно распланировать жизнь — недаром говорят, что человек предполагает, а Бог располагает. Конечно, планировать имеет смысл, но, если высшие силы изменят твои планы, не следует огорчаться. Я думаю, мир задуман Господом достаточно мудро, чтобы каждая отдельная судьба развивалась по лучшему из сценариев. Все, что ни происходит, происходит вовремя и не зря.

Когда Юрий Николаевич Григорович предложил мне стать примой-балериной его Краснодарского театра, я, конечно, с благодарностью согласилась. И, кстати, моим первым спектаклем на его сцене был, как это ни удивительно, балет «Лебединое озеро». Видимо, это также предопределенность, заключающаяся в том, что балет «Лебединое озеро» был началом моего пути во многих театрах, где я работала.

Одной из очень эффектных партий, которые мне предстояло танцевать в театре Григоровича, была как раз партия Медоры в балете «Корсар». Надо отметить еще одну тонкость: «Корсар» Юрия Григоровича — это совершенно иная постановка, кардинально отличающаяся от версии Мариинского театра. Дело в том, что Юрий Николаевич замечательно знает стиль Мариуса Петипа и умеет ставить спектакли, соблюдая особенности его хореографии. К тому же в нашем концертном репертуаре с Женей Иванченко к тому времени был очень интересный, красивый и изысканный номер: па-де-де из балета «Эсмеральда», где присутствует вариация с бубном. Технически сложная партия с множеством пируэтов и диагональю, в конце которой я становилась в определенную позицию и, держа бубен в вытянутой руке над своей головой, шестнадцать раз ударяла по нему ногой под углом сто восемьдесят градусов.

Когда Юрий Николаевич Григорович предложил использовать эту вариацию в первом акте балета, я испытала гордость. Еще бы, ведь вариацию, которую я с полным правом считала своей коронной, оценил сам несравненный мастер и уважаемый мой учитель. В общем, тогда, в начале 2005 года, давая свое согласие на премьеру и одновременно приступая к репетициям спектакля, я еще и не подозревала, что беременна. О своей беременности я узнала четвертого января 2005 года, в день своих именин, а премьера должна была состояться в конце мая. После несложных подсчетов я осознала, что момент долгожданной премьеры выпадает как раз на конец пятого ме-

240

сяца. Конечно, и речи не могло идти о том, чтобы танцевать на таком сроке.

Вы можете очень удивиться и задать вполне закономерный вопрос: «Как же это вы, сударыня, умудрились заметить свое положение только на втором месяце? Да еще при ваших-то физических нагрузках в сочетании с пристальным профессиональным вниманием к своему телу?» Смешно, но факт. Не заметила! У меня как раз был очень плотный график выступлений, и, кстати, я все-таки еще месяц (после обнаружения беременности) продолжала участвовать в концертах и даже танцевала в Краснодаре «Баядерку»... И потом специфика моей профессии такова, что приходится не обращать внимания на легкие недомогания, списывать их как раз на те самые физические нагрузки.

Собственно, беременность застала меня врасплох. Я, конечно, не была к ней готова. Я же собиралась танцевать премьеру «Корсара», да и не только ее. Своей растерянностью чуть было не обидела любимого человека. Игорь огорчился:

— Ты что, совсем не рада? Это же наш ребенок! Мы же с тобой так мечтали о нем!

Я тут же попыталась как-то смягчить ситуацию:

— Конечно, рада! Конечно, мечтали! Но я ведь не думала, что это произойдет так быстро и неожиданно. Я еще сама чувствую себя ребенком! И концерты расписаны на три месяца вперед, и гастроли с Григоровичем!

— Мы вместе справимся! Я тебе помогу во всем! — сказал Игорь уверенно, и я сразу успокоилась, подумав, что, если Господь даровал нам ребенка именно сейчас, значит, это великая награда!

241

— Но танцевать буду столько, сколько смогу! — упрямо предупредила я мужа, и условие было принято.

И все бы хорошо, но мне же еще предстояло сообщить Юрию Николаевичу о том, что я, мягко говоря, на некоторое время «выпадаю из строя». Даже при мысли об этом я начинала ужасно винить себя: ну и как я буду смотреть в глаза моему дорогому учителю, который доверяет мне, надеется на меня, а я его так подвожу?! И это в момент становления Краснодарского театра, когда поддержка и участие так необходимы! Наверное, со стороны это выглядит малодушием, но я оттягивала момент, истины как могла. То есть я продолжала репетировать балет «Корсар» с педагогами Юрия Николаевича, делая это осторожно, оберегая ребеночка, но тщательно: все же несмотря ни на что я была уверена, что в скором времени мне все равно выпадет честь танцевать в этом балете.

К тому же мне не хотелось привлекать внимание к моему положению как можно дольше. Я опасалась чрезмерного внимания прессы и назойливости журналистов. Понимала, что многие сочтут мой активный образ жизни в таком положении сумасшествием и станут засыпать меня обвинениями и осуждениями (вместе с доктором), что мне надо «сесть на диван и смотреть на все красивое», оберегая себя от стрессов. Но мне хотелось не просто смотреть, а видеть красоту во всем, что происходит со мной. И я не могла сидеть без дела. Самым большим стрессом для меня был бы отказ от физических нагрузок, от привычного образа жизни и легкого питания. Я чувствовала, что ни за что нельзя расслабляться, иначе к творчеству я уже не вернусь никогда. Поэтому я практически не изменяла ни свой график, ни свой образ жизни: каждый день отводила время для экзерсиса, продолжала париться в бане в сочетании с ледяной водой. А на девятом месяце беременности сняла видеоклип на поставленный для меня танец «Соло для двоих» на музыку Баха. Внутри меня спокойно лежала маленькая Ариша, и это был наш первый совместный выход на сцену...

Я сообщила о своей беременности Юрию Николаевичу Григоровичу только на четвертом месяце. В первую очередь, меня к этому побудил Игорь, сказав, что, чем дольше я буду оттягивать «страшный» миг, тем страшнее он для меня будет, и тут уж я точно подведу всех дальше некуда. «Скажи как есть,— посоветовал он.— Юрий Николаевич поймет тебя. Он настоящий человек! Я уверен, что он за нас будет очень рад. А премьеру „Корсара" ты еще станцуешь!» Хоть я частично и разделяла уверенность Игоря, но все же сильно колебалась.

И тут случилось событие, которое подтолкнуло меня к решительным действиям. В Большом театре была устроена унизительная аттестация, причем без предупреждения, под видом проверки на уроке класса. Артистов скопом загоняли в зал, в котором сидела комиссия. Ее члены шушукались между собой, решая, кто угоден администрации, а кто — нет. Я также приходила со всеми в балетный зал. А на следующий день из новостей желтой прессы я узнала, что из двухсот пятидесяти человек «сократили» четверых, в том числе Волочкову. Уволена! Опять! История действительно имеет обыкновение повторяться, но уже в каком-то гротесковом варианте. Я пришла к директору труппы Алексею Ратманскому и сказала:

— Алексей, вы поступаете так же, как Иксанов. Боитесь сказать в лицо, что я не угодна. Но сообщать балерине об увольнении через газету как-то не по-мужски.

Ратманский ничего вразумительного не ответил.

Тогда я продолжила:

— Я не советую вам устраивать еще одно шоу с моим увольнением. От этого не выиграет никто, — и протянула ему справку о том, что нахожусь на четвертом месяце беременности.

А потом посоветовала ему вместе с господином Иксановым перечитать Трудовой кодекс. Ратманский такого удара не ожидал! Побледнел, схватил справку и побежал к Иксанову. А вечером тот объявил в своем телевизионном интервью, что сокращает Волочкову. Тогда и я сообщила ему через прессу, что его ждет еще один судебный процесс по факту незаконного увольнения беременной балерины. Историю быстро свели на нет — закон снова был на моей стороне.

Понятно, что в это же время я поспешила поставить в известность Юрия Николаевича Григоровича о том, что жду ребенка и не смогу танцевать премьеру балета «Корсар». На эмоциональной волне событий в Большом я уже была морально готова к любой реакции. Однако Юрий Николаевич неожиданно очень обрадовался и ответил, что я зря расстраивалась, что рождение ребенка — это самое прекрасное событие в жизни человека. «Настя, в твоей жизни еще будет много спектаклей,— сказал он,— а ребенок — это сама жизнь. И потом, ты так быстро вернешься на сцену, что сама не заметишь перерыва!» Его радость, поддержка, а главное, вера в мои силы настолько вдохновили меня, что я приняла решение вернуться на сцену так быстро, как смогу. И я обещала Юрию Николаевичу войти в форму сразу после рождения ребенка и обязательно танцевать его балеты.

У меня родилась дочь. Мы назвали ее Ариадной. Ко дню рождения Ариши мы приурочили презентацию клипа «Соло для двоих» и вместе с Игорем придумали особый дресс-код для гостей: каждый должен был прийти с какой-нибудь детской игрушкой. А на следующий день я сама отвезла игрушки больным детишкам, потому что мне кажется, что суть благотворительных акций не только в том, чтобы что-то подарить, но и в личном участии, проявлении внимания и сочувствия. Я иногда приезжаю к детишкам для того, чтобы просто с ними поговорить, поиграть или вместе с ними порисовать. Не раз убеждалась, что подобное внимание для них гораздо дороже любых подарков.

Через три дня после родов я начала занятия классом, а через неделю — уже репетиции в Большом театре. Через полтора месяца я танцевала балет «Баядерка» в театре Юрия Николаевича, вторым спектаклем стал балет «Корсар». Я всегда буду благодарна прекрасной балерине, ученице Галины Улановой, замечательному, потрясающему педагогу Нине Семизоровой, потрясающему педагогу Нине Семизоровой. Она, можно сказать, «поставила» меня на ноги, точнее, на пуанты. Мы кропотливо готовили партию Медоры, со всеми нововведениями хореографии Юрия Николаевича.

Впервые я танцевала «Корсара» с Евгением Иванченко в Краснодаре, а потом и на сцене родного Мариинского театра во время третьих гастролей Краснодарского театра. Я помню, мы приехали в Петербург в августе, погода была прекрасная, что редкость для моего родного города. И, кстати, это были первые гастроли, на которые я взяла с собой мою маленькую дочку. Она три недели провела со мной в Петербурге и приходила практически на все спектакли, точнее, нянечка ее приносила. Аришка видела балеты «Лебединое озеро», «Дон-Кихот», «Корсар», но, насколько я понимаю, ей больше всего понравилось все-таки «Лебединое озеро», потому что во время спектакля она всё норовила сбежать от нянечки и просилась на сцену к лебедям.

Кстати, как раз с балетом «Корсар» во время этих гастролей была связана довольно сложная ситуация. На тот момент Мариинский театр пребывал в дремотном состоянии, в день постановки «Корсара», причем единственный день за все три недели гастролей, в Петербурге пошел дождь. Крыша театра тут же потекла, и за несколько минут до начала балета на сцене образовались внушительного вида лужи. Конечно, их пытались ликвидировать, но дождь не прекращался, и вода снова появлялась. В общем, нам пришлось танцевать спектакль посреди луж.

Я думаю, что читатели вряд ли могут представить, насколько это страшно. «Корсар» — очень сложный балет, в нем много технически сложных вариаций, его достаточно трудно танцевать и на идеальной поверхности. А тут... лужи по всей сцене! Одним словом, надо было решиться и рискнуть, совершить такой маленький, незаметный для присутствующих подвиг. Что мы и сделали.

Все действие прошло безукоризненно. Зрители увидели самое главное — весь блеск великолепной драматургии замечательного мастера. И я могу сказать, что это был один из моих самых счастливых спектаклей балета «Корсар» в постановке Юрия Николаевича Григоровича. А счастливая премьера этого балета позднее состоялась на сцене Государственного Кремлевского дворца. Уже в новой редакции Григоровича.

Готовиться к этой премьере было очень сложно, поскольку летом мне предложили участвовать в телевизионном шоу «Ледниковый период». Мне предстояло научиться кататься на коньках, что всегда было противопоказано балетным артистам. Так получилось, что репетиции «Корсара» совпадали с тренировками на льду.

Мое утро начиналось с занятий классом, днем я репетировала Медору с Ниной Семизоровой, а ближе к ночи приезжала на каток, где тренировалась с Александром Жулиным. Каждый вторник мы с Антоном Сихарулидзе показывали новый номер, который по выходным демонстрировался на Первом канале.

Но при всей серьезности моего отношения к «ледовому» проекту балет всегда оставался главным делом моей жизни. Больше всего я боялась подвести Григоровича. Мне было важно, чтобы моя Медора полностью соответствовала его замыслу.

Юрий Николаевич готовил свою новую постановку силами балетной труппы Кремлевского дворца. Этот спектакль ждали не только любители балета, но и все, кто так или иначе интересовался творчеством легендарного хореографа. И действительно, спектакль «Корсар», привлекший такое большое внимание общественности, стал настоящим событием культурной жизни Москвы.

Глава 10

«РАЙМОНДА»

Балет «Раймонда» я воспринимаю глубоко лично. Он связан не только со значимыми вехами в моей профессиональной карьере, в его сюжете существовала тогда еще неясно осмысленная мною, но эмоционально прочувствованная параллель с самым главным на сегодняшний день событием в моей личной жизни. Но начнем по порядку.

Исторически к хореографии «Раймонды» «приложили руку» (можно, конечно, пошутить — и ногу) три великих мастера: Мариус Петипа, Джордж Баланчин и Юрий Григорович. Интересно, что это первый балет композитора Александра Глазунова и последний крупный спектакль великого восьмидесятилетнего балетмейстера: на склоне лет Петипа поставил почти абстрактный балет, предугадав тот самый стиль, которым увенчается весь XX век, — стиль Джорджа Баланчина.

В «Раймонде» торжествует танец и летит в тартарары сюжет. Недаром для либретто выбрана достаточно схематичная история, написанная по мотивам средневековых легенд. Заглавную партию в 1898 году на сцене Мариинки исполнила знаменитая Пьерина Леньяни[1]. Постановка вызвала яростную атаку критиков, и в противовес имела шумный успех у публики. Двадцать девятого июня 1984 года Юрий Григорович представил в Большом театре новую версию этого балета. Точно продолжая идти по стопам Баланчина, он не стал делать акцент на изменение сюжета, а расширил танцевальные возможности персонажей, в частности Абдерахмана, партия которого раньше была преимущественно пантомимной.

В первый раз танцевать партию Раймонды мне посчастливилось — иначе и не скажешь — в день своего девятнадцатилетия. Дата спектакля в Мариинском театре удачно совпала с датой моего дня рождения — двадцатого января, получилось, что я его отпраздновала на сцене, ведь и по сюжету бал устроен в честь шестнадцатилетия Раймонды. Это был, пожалуй, самый необычный и запоминающийся день рождения в моей жизни. Я чувствовала себя именинницей в квадрате. Тогда в Мариинском театре моим партнером был Женя Иванченко. Уже потом в Большом театре я танцевала «Раймонду» с Колей Цискаридзе.

Мне очень дорога партия Раймонды еще и потому, что я знаю ее в двух версиях: в постановке Константина Михайловича Сергеева в Мариинском театре и в постановке Юрия Николаевича Григоровича — в Большом. Я очень хорошо помню период подготовки

---

[1] *Пьерина Леньяни* (1863—1923) — легендарная итальянская балерина, впервые выполнившая фуэте в тридцать два оборота. — *Здесь и далее примеч. ред.*

к спектаклю Юрия Николаевича, ведь, по сути, я училась совершенно новый балет и очень благодарна своему партнеру Николаю Цискаридзе и педагогу Екатерине Сергеевне Максимовой, которые мне в этом помогали. Тогда были заказаны и сшиты совершенно фантастические костюмы, многие из которых мне пригодились впоследствии. Например, костюм любимого фисташкового цвета из первого акта «Раймонды» я использую и сейчас в последнем акте «Корсара». Но это только одна сторона медали.

Другая сторона — закулисные отношения, о которых я и сейчас вспоминаю если не с ужасом, то с глубочайшим омерзением. Во время печально незабываемых лондонских гастролей Большого театра «Раймонда» шла в двух составах: в одном заглавную партию танцевала я, в другом — на тот момент прима-балерина Большого Нина Ананиашвили.

Никогда не забуду тот яркий солнечный день, когда танцевала «Раймонду» в Лондоне. Вхожу в театр. С улыбкой здороваюсь со всеми подряд: хочется с каждым поделиться радужным настроением.

Вхожу в гримерку. Распахиваю шкаф, где висит сценический костюм... О ужас! Вместо потрясающей красоты бирюзовой пачки, отделанной сверкающими стразами, на вешалке висит серая блеклая тряпка. Дрожащими руками подношу ее к глазам. Кто-то залил шикарный наряд серой краской для машин.

Слезы злости и обиды ручейками сбегают по моим щекам. Я знаю, чьих рук это дело! К моим пачкам в Большом театре все время придирались.

— Вы слишком броско выглядите на сцене,— постоянно говорил директор балетной труппы Фадеечев.

А как солистка спектакля должна выглядеть? Как уборщица в халате?!

Прима Нина Ананиашвили бегала к портным проверять, какой у меня будет костюм к новому балету, чтобы его, не дай бог, не разукрасили сверх меры. Тогда я перестала пользоваться услугами мастерских Большого театра. Шила костюмы на заказ за собственные деньги.

Чтобы избежать очередных придирок, мы с мамой, когда меня ввели в «Раймонду», попросили потихонечку у мастеров Большого театра костюм Нины Ананиашвили из «Раймонды», чтобы сшить точно такой. Это была пачка бирюзового цвета, отделанная камушками. Моя портниха сделала все один в один. Единственная разница заключалась в том, что костюму Ананиашвили было лет десять, и ткань вышвела. А у меня он был новый.

Эту невыгодную для Нины Ананиашвили ситуацию «подправил» директор труппы, залив всю мою пачку автомобильным спреем. Мне пришлось надеть испорченную пачку на генеральную репетицию. Лондонские журналисты с удивлением писали о «странном» цвете костюма Волочковой.

Всю следующую ночь моя мама пыталась с помощью ацетона хотя бы частично привести в порядок бирюзовую пачку. Нам было очень горько, и мы обе плакали.

Выбора не было, и я вышла на сцену в залитой краской пачке...

Спектакль прошел блестяще. После него меня окружили зрители и представители прессы. Случайно я подслушала разговор двух балетных критиков. Один говорит:

252

— Замечательный спектакль, но почему у солистки такой серый костюм?!

А другой отвечает:

— Видимо, новаторский подход. Мне тоже этот режиссерский ход не показался удачным, но сама Волочкова — вне конкуренции. Идеальная Раймонда!

И точно в подтверждение неоспоримого закона моей жизни — чем труднее, тем успешнее — после спектакля была замечательная пресса. Надо сказать, что накануне этот спектакль с большим успехом станцевала Нина Ананиашвили. Но, тем не менее, разбирая оба выступления (Нины и мое) и восхищаясь выступлением Ананиашвили, критики отдали предпочтение моей Раймонде. В газете «The Independent» было написано: «...Ее танец — пение через пространство. Она танцует всем своим телом, будучи сверхъестественно чуткой к стилю и оттенкам Петипа и Глазунова, она стремится к законченности каждого соло. Она воздушно-грациозна в своем танце пиццикато, музыка ее танца — как отшлифованный драгоценный камень» (Надин Мейзнер, 23 июня 1999 года).

Прочитав этот отзыв, моя мама страшно испугалась, и, как оказалось, не зря. Как я уже говорила, успех — это то, что не прощают коллеги по театру. На следующий день, когда мы с мамой оказались у «доски объявлений», где обычно вывешивали всю газетную критику, мы обнаружили рядом мужа Нины Гедевановны — Гию. Он стоял в кругу артистов и кричал, что «гнать надо эту выскочку Волочкову из Большого театра». Это было настолько дико, что я совершенно растерялась и в панике убежала прочь от злополучного места. Мне казалось, если Гия сейчас заметит нас и посмотрит мне в глаза, я умру от стыда за него. Что бы он почувствовал? Не знаю. Может, смутился бы... Хотя, вспоминая теперь ту ситуацию, нет, думаю, не смутился бы, наоборот, сделал вид, что так и надо.

Так началось «выдавливание» меня из Большого. Вскоре убрали из театра и самого Владимира Васильева. Его увольнение было обставлено особенно подло и низко.

В этом, кстати, состоит огромное отличие Москвы от Петербурга, Большого от Мариинского театра. В моем родном и любимом городе могли судачить за глаза или же в глаза ругать и критиковать, но всегда в безупречно вежливой манере. В Москве же я была потрясена той ошеломляющей простотой, с которой люди могли подойти за кулисы, встать рядом и громко вешать разнообразные гадости, причем делая вид, что тебя рядом вовсе и нет. Я очень долго вышибала из себя наивность вопросов, возникающих у меня в таких ситуациях.

Разве так сложно поставить себя на место другого человека, того, о ком собираешься сказать что-то неприятное или по отношению к которому совершить дурной поступок? Я ведь в большинстве случаев стараюсь останавливать себя, даже если испытываю очень сильное негативное чувство. И поверьте, святой себя не считаю. Просто если есть возможность быть лучше себя, почему ее не использовать? И почему обязательно надо искать виноватых вокруг? В таких случаях я смотрю в зеркало и другим советую иногда поглядывать на свое отражение.

К счастью, теперь я уже знаю ответ на вопрос: «Почему Волочкову надо непременно откуда-то гнать?» Потому что ей больше всех надо. Да, признаю, мне надо больше всех. Работы больше всех, спектаклей больше всех, концертов больше всех. Больше всех и лучше всех! Я так устроена. Я рыдала, когда прочла строки из дневника Мариса Лиепы: «Бесперспективность — это, наверное, самое страшное в жизни… Для чего ждать, жить, быть? Вот и убиваю себя, чтобы все во мне омертвело… Самое страшное в этом — не умереть, а понятие „не жить“. Не жить — это страшно… О, сколько времени я уже так живу в Большом театре…»

Когда не крайний, не самый, не лучший — это и есть для меня «не жить».

Не танцевать — не жить.

Мое неожиданное чудесное возвращение в театр по требованию Юрия Григоровича состоялось уже в отсутствие Владимира Васильева.

Ранее я рассказывала о создании Григоровичем новой редакции «Лебединого озера», где мне была доверена роль Одетты-Одиллии. В этот же период (второе пришествие Григоровича в Большой театр) мне посчастливилось станцевать еще одну его премьеру — «Раймонду».

Юрий Николаевич в своей новой версии балета очень бережно отнесся к наследию Петипа, при этом он сумел вдохнуть свежую жизненную силу в ткань балета. В его редакции глубже стала связь хореографии, музыки и сюжета. Спектакль стал более компактным и цельным. Его сюжетные линии приобрели четкость и новую выразительность.

255

В версии балета «Раймонда» Константина Михайловича Сергеева, той, которую я танцевала в Мариинском театре, все, что происходит по сюжету, — и появление Абдерахмана, и его поединок с Жаном де Бриенном, — Раймонде только снится. Пришедшие на праздник друзья играют ей на лютне в саду, и она блаженно засыпает под их напевную музыку. Как всегда, проводя параллели между моим творчеством и моей личной жизнью, мне снова кажется, что Раймонда — это про меня. Изначально я воспринимала моего мужа Игоря Вдовина в образе сарацинского шейха, который постепенно превращается в настоящего рыцаря.

Игорь удивительно корректно и внимательно ухаживал за мной. Он всегда показывал, что моя жизнь со всем ее безумным багажом его искренне интересует, что он готов участвовать в ней. Не терпеть, а именно участвовать и поддерживать меня во всех начинаниях. Причем это проявлялось в мелочах. Но ведь вся наша жизнь и состоит из мелочей.

Игорь совершенно неповторимо дарил мне цветы. Конечно, мне и другие мужчины дарили роскошные и фантастически дорогие букеты. Но с Игорем я особо знала, что ранее это была скорее демонстрация красоты их «павлиньих перьев». Игорь всегда составлял

256

букеты сам. Причем необязательно это были «охапки», порой он дарил маленькие изысканные букетики. Главное, что меня всегда удивляло, — разнообразие и оригинальность выбранных им композиций. Где бы я ни танцевала, будь то Канада, Норвегия, Франция, города России от Дальнего Востока до Кавказа, в каждом городе после концерта я получала от него какой-нибудь неординарный букет. Если попытаться представить все подаренные им цветы, то получится целое цветочное море.

Однажды в Норвегии я умудрилась за сутки станцевать три спектакля «Лебединое озеро» — вечер—утро—вечер. И после каждого из спектаклей Игорь подарил мне по букету — из красных, белых и желтых роз. А на гастролях в Петербурге, когда я танцевала «Лебединое озеро» в Мариинском театре, после каждого акта мне были преподнесены определенные композиции. После «белого» акта — белое перо с прикрепленными к нему цветками, после «черного» — черные перья над стеблем цветка.

Во время нашей совместной жизни с Игорем у нас возникли очень добрые и милые традиции. Каждый месяц второго числа мы отмечали день нашего знакомства, причем по-разному: это мог быть торжественный вечер в ресторане или посещение спектакля или концерта. Еще у нас образовалась традиция писать друг другу открытки, особенно на время поездок. Я постоянно находила их в своем багаже, уезжая на гастроли. Также и Игорь, отправляясь куда-либо по делам, всегда находил в своем чемоданчике мою открытку с какими-то добрыми словами.

Я никогда не забуду день нашей свадьбы. Я мечтала о нем еще будучи маленькой, в возрасте шести-семи лет. Я представляла свою свадьбу совершенной и сказочной — самой роскошной, самой красивой, с лучшими свадебными платьями. (Уже тогда я думала, что у меня будет не одно платье, а несколько.) И вот когда это событие случилось наяву, а торжество состоялось в мистический день — 07.07.07, мой муж Игорь подарил мне праздник гораздо более чудесный, чем я могла представить в своих самых смелых детских фантазиях!

Было все, в том числе и самые красивые наряды. Я сменила за свадьбу несколько платьев: белое, украшенное жемчугом и другими драгоценными камнями, «царское» жемчужно-кремовое, названное так за то, что на нем блистало полмиллиона камней Сваровски, изумительной красоты розовое с белым и, конечно, платье моего любимого фисташкового цвета. Все — со шлейфами.

К гостям я прилетела на воздушном шаре. Сама идея принадлежала мне — очень хотелось появиться перед гостями как-нибудь неожиданно и необыкновенно. И тогда Игорь сделал все возможное, чтобы воплотить мою идею. Был изготовлен специальный воздушный шар белого цвета, украшенный золотыми лентами, к нему привязали качельки, на которых я и должна была «спуститься с неба». Причем накануне мы проводили репетицию «прилета», ведь качельки были без страховки. И как только меня в этот шар попытались усадить, поднялся страшный ветер и полил дождь. Шар начало мотать так, что двенадцать человек не могли удержать его на одном месте. Тогда Игорь сказал, что шар отменяется, моя жизнь ему дороже. Но в день свадьбы погода наладилась, и мне захотелось рискнуть. И, по-моему, не зря: мое праздничное оригинальное появление задало пре-красный высокий и романтический тон всему тор-жеству.

Свадьба проходила в двух дворцах. В Санкт-Пе-тербурге — в Тронном зале Екатерининского двор-ца, на плацу, в галерее и на прудах и в Москве — в Юсуповском дворце. Мы придумали много забавно-го и интересного для гостей, к примеру, плавание на гондолах и бочку с виноградом, который гостям бы-ло предложено мять босыми ногами для последую-щего превращения виноградного сока в вино. И я надеюсь, что больше всех этот праздник запомнится нашей дочке Ариадне, потому что она была самой красивой на свадьбе, такой маленькой принцессой, и первый танец принадлежал именно ей, а не жениху и невесте.

Честно говоря, мне кажется, что в современном мире люди перестали правильно воспринимать ри-туалы. И совершенно зря. Свадьба — очень важный этап в жизни человека. Можно сказать, середина пу-ти между крещением и отпеванием. Такой обряд нельзя совершать «для галочки», он должен быть на-стоящим, большим событием, которым можно по-том гордиться и помнить всю жизнь.

А свадьба действительно получилась замечатель-ной! И я очень благодарна Игорю за то, что он сде-лал возможным действо, в котором я ощущала себя настоящей царицей. В тот момент, когда мы отъез-жали от моего дома, который находится возле Рус-ского музея, на белой с золотом карете, украшенной фисташковыми розами и зелеными листьями, слов-но вернулась атмосфера пушкинских времен. Даже машина, которую Игорь для нас заказал,— ретролимузин золотистого цвета, была эксклюзивной и ехала из Москвы специально для свадьбы. Я понимаю, что можно было взять любую другую машину в Петербурге, но Игорю хотелось, чтобы нас вез автомобиль, который существует в единственном экземпляре. Вот такой подход меня всегда очаровывал и восхищал. Он даже придумал для нас свадебный поезд! Свадебный поезд № 1 Москва — Санкт-Петербург — Москва со специальными комфортными купе для гостей, в котором для нашей семьи был выделен целый вагон с уникальным интерьером.

Все торжество было настолько талантливо придумано, красиво и изысканно выполнено, что до сих пор в моей памяти всплывают все новые и новые детали, которые радуют, восхищают и делают меня бесконечно счастливой.

А в продолжение торжества ровно через десять дней после свадьбы в Петербурге на сцене Мариинского театра состоялся праздничный концерт — программа «Невеста». Ради этого проекта мы даже отложили свадебное путешествие, потому что он был чрезвычайно важен для меня. Я уже десять лет не танцевала на сцене Мариинского театра в качестве основной солистки и вот, наконец, вернулась на родные подмостки со своим грандиозным сольным шоу. В концерте я исполняла двенадцать хореографических композиций. В этой программе участвовали артисты театра Бориса Эйфмана и других петербургских танцевальных коллективов, а также пятеро моих самых любимых партнеров.

Начало и конец программы были посвящены моей свадьбе, впрочем, весь концерт так или иначе затрагивал тему любви. В первом номере я вышла в белом свадебном платье, шлейф которого занимал практически всю сцену, а потом, когда танцевали артисты кордебалета, двенадцать человек растянули платье в разные стороны и унесли его части за кулисы, а я осталась в золотистом комбинезоне. В нем я исполняла свою танцевальную композицию «Весна» на музыку Ф. Шопена. В заключительном номере на гениальную мелодию Шарля Азнавура «Вечная любовь» я тоже вышла в свадебном платье, том самом, в котором спускалась к своим гостям на воздушном шаре.

Это был один из лучших вечеров моей жизни, потому что в нем самым невероятным способом слились и день нашего с Игорем знакомства, и наша свадьба, и совершенно уже новая неповторимость происходящего, и надежда, что так будет всегда...

Глава 11

«БАЯДЕРКА»

Нет более непредсказуемой профессии, чем балет. Здесь никогда нельзя предвидеть, что с тобой будет в следующую секунду. Это как с одного балкона на другой... по жердочке...

Нина Семизорова

Именно в этой главе уместно сказать несколько слов о моих жизненных принципах. Конечно, балет как искусство занимает большую часть моего времени. Но я всегда сожалела о судьбах великих балерин, которые так и не стали матерями. Думаю, женщина не должна полностью посвящать себя профессии. Я постаралась в своей жизни совместить и творчество, и семейную жизнь, и материнство. Это очень гармоничный треугольник. Многие говорят, что балерине после родов уже не восстановить форму. Я убедилась в обратном на своем опыте — вышла на сцену на третьем месяце беременности и продолжила танцевать уже через месяц после родов. Не хочу сказать, что не прислушиваюсь к мнению других людей, но все-таки мне кажется, что человек должен идти своим, и только своим путем. Не подражать другим, а делать то, что требуется именно ему, прислушиваясь к своему сердцу.

Я с добрым чувством читала произведения Паоло Коэльо, мне надолго запомнилась фраза Мелхиседека, сказанная Сантьяго: «Душа Мира питается счастьем человеческим. Счастьем, но также и горем, завистью, ревностью. У человека одна-единственная обязанность: пройти до конца Своей Стезей. В ней — все. И помни, что, когда ты чего-нибудь хочешь, вся Вселенная будет способствовать тому, чтобы желание твое сбылось» [1]. Чрезвычайно приятно находить в книгах то, о чем и сама не раз задумывалась. Все-таки я всегда верила в свои силы и в то, что мои желания обязательно исполнятся. И они исполнялись. Не все, естественно, потому что, когда сбывается одно, неизбежно возникает другое и так далее. Всегда есть куда стремиться и над чем работать. Главное — не быть неблагодарной и не обесценивать свое исполненное желание, уметь ценить то, что у тебя уже есть. Тогда чудо становится, как это ни удивительно звучит, неизбежным. Разве не чудо для меня стать солисткой Мариинского театра, еще будучи ученицей Вагановского училища? Разве не чудо — неожиданное приглашение в Большой театр? Или Английский национальный балет? И так можно перечислять до бесконечности. Но я уверена, что нельзя относиться к таким «чудесам» как чему-то заслуженному. Пусть даже верно высказывание о том, что судьба делает подарки трудолюбивым. Но ведь работа над танцем и образом для меня уже является огромной радостью. Значит, все, что чуть-чуть больше, — дар или, если хотите, аванс на будущее.

Все это надо заслужить!.. или выстрадать. Что еще более ценно...

---
[1] Из романа «Алхимик».

263

Для меня ценность — это то, что не имеет... ЦЕНЫ!

Рождение дочери Ариадны стало для меня огромным счастьем. Я и тогда, и сейчас могу сказать с полной ответственностью: какими бы важными ни казались для женщины проблемы личного и профессионального порядка, ни одна из них не может быть достаточной, чтобы отказаться от счастья материнства. Только в этом случае женщина становится женщиной, только в этом случае она полностью состоится как личность. По крайней мере, когда через пять минут после рождения нашей Ариши Игорь разлил его со слезами на глазах, — я почувствовала, что все в нашей жизни прекрасно. Я ощутила себя самой счастливой на свете! И я решила, что мы постараемся, чтобы так и продолжалось дальше. А чуть позже раздался звонок моего мобильного телефона.

— Настя! — услышала я до боли знакомый голос Юрия Николаевича Григоровича. — Ты сможешь танцевать «Баядерку»?

— Когда? — испуганно спросила я.

— Через полтора месяца.

Я на мгновение растерялась, встретив удивленный взгляд Игоря, и тут же отчаянно приняла решение:

— Сейчас я вообще-то в родильном блоке, но ведь еще есть полтора месяца... Юрий Николаевич, я думаю, что смогу...

— Сумасшедшая!.. — сказал Игорь, когда я выключила телефон.

— Да, наверное, но я же не могу просто так отказать Григоровичу. Я должна хотя бы попробовать!

Вот так и получилось, что я дала обещание гораздо раньше, чем даже могла представить, каких усилий мне будет стоить его выполнить. Когда на следующий день врачи вошли ко мне в палату, чтобы проверить мое самочувствие, они увидели следующую картину: я стояла в домашнем легком плюшевом комбинезончике и, держась за спинку кровати, выполняла упражнения из экзерсиса, проверяла, как обстоят дела с растяжкой. Хотя еще накануне родов я занималась в Большом театре, после чего, с наслаждением попарившись в русской бане, окунулась в ледяную купель. По идее... с формой все должно быть в порядке.

Доктора, чтобы не брать на себя ответственность за мое безумие, посоветовали мне побыстрее выписаться из роддома. Счастливая, на следующий день я была уже дома. Я хорошо себя чувствовала и была готова вернуться к работе. Но понимала, что это будет целым испытанием.

Через три дня я уже репетировала в Большом театре. Хотя, конечно, сказать «репетировала» — не совсем правильно, я скорее пыталась репетировать и постоянно с ужасом задавала себе один и тот же вопрос: «Какие там полтора месяца? Я вообще в принципе смогу вернуться на сцену?!» Ощущения были ужасные: мне казалось, что за время беременности я растеряла все наработанные, как говорится, «потом и кровью», навыки. Мое тело просто отказывалось мне повиноваться. Я обратилась с просьбой к некоторым балеринам Большого театра помочь мне в качестве педагога. Но все в один голос уверяли, что лишь через полгода я смогу только начать делать гимнастику и экзерсис.

Даже разговаривая по телефону с очередным потенциальным педагогом, я мысленно видела, как он отрицательно качает головой и категорически машет руками. Слова у всех были при этом примерно одинаковые: «Какая „Баядерка“ через полтора месяца? Да ты только полгода начнешь приходить в театр. Надо пока делать гимнастику, пытаться начать балетные занятия». Больше всего меня поражало то, что никто из них даже не желал попробовать. «Нет!» «Невозможно!» Словно жизнь остановилась, и ничего уж нового быть не может. А ведь когда-то и тридцать два фуэте казались чем-то недостижимым, да и пуанты, честно говоря, сравнительно недавно придумали. В жизни всегда есть место тому, что еще никто никогда не делал. В этом смысле нет ничего невозможного! И я верила, что усилием воли, работоспособностью, трудом я смогу сделать невозможное.

Седьмая попытка увенчалась успехом! И я поверила в удачливость этой цифры! Нина Львовна Семизорова усмехнулась на «ужасающе короткий срок» и предложила сначала встретиться, чтобы посмотреть, в каком состоянии я нахожусь, и оценить, можно ли с этим что-нибудь сделать. Оказалось, можно, если я брошу все свои силы на то, чтобы достичь цели.

«Ничего страшного, Настя, — сказала Нина Львовна Семизорова, — вы ведь действительно хотите танцевать. Значит, сможете. Чтобы достичь результата, надо определиться в цели. Именно этому меня учила Галина Сергеевна Уланова».

Я думаю, что мой выход на сцену в партии Никии, равно как и вообще продолжение карьеры, — целиком и полностью заслуга Нины Семизоровой, замечательной балерины и потрясающего педагога, с которым мы работаем до сих пор. Ниночка — уникальный педагог, с которой меня, кстати, связывает самый продолжительный период совместной работы. «Если ты все подчинишь поставленной задаче, выйдешь в „Баядерке"», — Нина Львовна поддержала меня в тот момент, когда я уже приготовилась совсем отчаяться. «Все» — это моцион, рацион, образ жизни. Я тогда практически ничего не ела. Только свои любимые салатные листья — вечером, раз в день. И лимоны. Пила зеленый чай и иногда сухое белое вино. Конечно, баня, конечно, ледяная вода, конечно, массаж. И постоянные изнурительные репетиции! Весь этот период до премьеры «Баядерки» вспоминается мне одним сплошным мытарством, похлеще, чем даже в первые годы Вагановского училища. Тем не менее полтора месяца истекли очень быстро.

С моим партнером по «Баядерке» Марком Перетокиным мы договорились лететь в Краснодар разными рейсами (у него накануне был спектакль в Большом театре). Я оказалась там раньше Марка, который, по идее, должен был прибыть на генеральную репетицию. Но в Москве случилась нелетная погода, в результате он смог вылететь только в день спектакля, причем его самолет приземлился в Ростове. И в день нашей премьеры в Краснодаре к моему обычному волнению (которое в этот раз было не вполне обычным) добавился страх, что Марк не успеет к спектаклю. Но, слава богу, все сложилось удачно, хотя танцевать пришлось без общей репетиции. Игорь умудрился буквально в считаные часы организовать машину, и Марк оказался в Краснодаре до начала спектакля. Конечно, он был не в лучшем состоянии, но, несмотря на свою усталость, очень поддержал меня перед спектаклем. Я чувствовала себя так, точно выхожу на сцену вообще впервые. Дежавю наоборот.

Окончательно уверенность в своих силах пришла ко мне лишь во втором акте. По либретто моя героиня, баядерка Никия, выбегает в открытом восточном костюме, но при этом закутанная в черное покрывало. Видя, как ее возлюбленный Солор целует руку богатой невесте, с которой он уже обручен, Никия сбрасывает покрывало и исполняет танец отчаяния. В тот момент, когда я сбросила покрывало, по залу вдруг пронесся неожиданный для меня восхищенный вздох: «Ой какая красивая!» И мне было так приятно, так воодушевила меня реакция зрителей, ведь «Баядерка» сложна не только «энциклопедией танца XIX века», но и тем, что все костюмы максимально открыты, и исполнители должны быть и внешне в безукоризненной форме. В общем, я поняла, что нам с Ниной Львовной Семизоровой удалось за полтора месяца изменить общепринятое мнение: не только подтвердить возможность возвращения балерины на сцену после рождения ребенка, но и доказать, что она может обрести форму в кратчайшие сроки. Мы с Ниной и теперь остаемся большими друзьями. Работа с ней для меня счастье.

Балет композитора Людвига Федоровича Минкуса был впервые поставлен Мариусом Петипа в 1877 году на сцене Мариинского театра. Несмотря на то что после Петипа «Баядерка» привлекала и многих других хореографов, спектакль до сих пор считается исключительно петербургским балетом, требующим кристальной чистоты танца, изысканного благородства формы, высокой исполнительской культуры не только танцевальной, но и актерской.

Литературными источниками для либретто послужили драма индийского классика Калидасы «Сакунтала» и баллада И. Гете «Бог и баядера». Кроме того, «Баядерка» заслуженно считается вершиной романтического балетного искусства, сочетающей в себе весь блеск хореографических новаций творцов, воспевших эпоху романтизма в балете,— Филиппа Тальони, Жюля Перро, Шарля Дидло... Достаточно вспомнить одну только фантастическую картину «Тени» из третьего акта, которая до сих пор остается непревзойденным по красоте и гармонии шедевром. В ней Петипа показал, как захватывающе прекрасны синхронные движения танцовщиц, каким виртуозным и красноречивым может быть танец в исполнении кордебалета.

На празднике огня индийский военачальник Солор и баядерка (танцовщица в индийском храме) Никия клянутся друг другу в вечной верности. Когда раджа предлагает Солору в жены свою дочь Гамзатти, тот пытается отклонить эту честь. Однако раджа не слушает Солора и объявляет, что свадебная церемония состоится через три дня. Великий брамин, влюбленный в Никию, но отвергнутый ею, рассказывает радже о любовном свидании Солора и Никии, надеясь погубить счастливого соперника. Но раджа настаивает на убийстве баядерки. Подслушавшая их спор Гамзатти пытается уговорить Никию отказаться от Солора. В ответ баядерка отвечает, что предпочтет смерть разлуке с возлюбленным.

На празднестве дочь раджи посылает баядерке корзину с цветами, из которой выползает змея и жалит танцовщицу. Умирая, Никия напоминает Солору о клятве, которую он дал, — любить ее вечно. Солор безутешен, ему везде видится тень любимой. Но раджа по-прежнему настаивает на женитьбе. Когда Великий брамин соединяет руки жениха и невесты, происходит землетрясение. Дворец рушится и погребает под обломками раджу, его дочь, Великого брамина и Солора.

Для меня это удивительно красивая сказка-фантазия о великой страсти двух людей, о любви, погибшей из-за человеческого тщеславия и зависти. Об осознании размеров потери уже после того, как она произошла. История, которая побуждает задуматься о ценности того, что мы имеем в настоящем. И еще, конечно, «Баядерка» для меня навсегда будет связана с замечательным событием в личной жизни — рождением моей дочки.

Самое забавное, что Ариша, как я успела заметить, очень интересно ведет себя именно во время этого спектакля. Не скажу, что он ей нравится больше всех остальных (а она была уже на очень многих моих спектаклях), но дочка как-то по-особому и прислушивается к музыке, и присматривается к тому, что происходит на сцене. «Баядерка» была последним спектаклем, в котором я танцевала перед ее рождением, и мне кажется, что это сыграло свою роль. Думаю, дети действительно с самых первых месяцев их зарождения начинают воспринимать мир пусть даже синхронно с восприятием своих матерей. И надо сказать, что еще во время беременности я очень часто думала о воспитании нашей дочки с первых ее лет, и мы с Игорем очень подробно разговаривали и обсуждали эту тему. Мне хотелось, следуя из опыта общения с моей мамой, привнести все хорошее, что у нас есть, избежать тех ошибок, которые (как мне кажется) были совершены в моем воспитании.

Едва начав говорить, в годик Ариша уже научилась считать до десяти. А в полтора — она уже читала наизусть начало «Руслана и Людмилы» Пушкина. Ариша — очень музыкальная девочка. Услышит музыку и начинает танцевать. И знает столько разных песен, что и не перечесть.

Есть такое понятие, как «шопинотерапия». Она совершенно неприемлема для меня — магазины, большое скопление людей, походы в торговые центры в поисках одежды или вещей — все это безумно утомляет... И вообще, на магазины у меня не хватает времени. Я могу иногда совершить адресные покупки: то есть идти целенаправленно в обувной магазин, если нужна обувь... Но если речь идет о детском магазине... Здесь все обстоит иначе! Это как раз та терапия, которая доставляет мне радость и счастье! Покупая красивую одежду Арише, я словно делаю это для себя. На нее я никогда не жалею ни денег, ни времени и стараюсь вовлекать ее в свою жизнь: она, например, уже не раз участвовала в моих фотосессиях. Меня, кстати, очень радует, что она не растет стеснительным ребенком, наоборот, Ариша всегда готова к общению. Она, с одной стороны, любопытный и внимательный ребенок, а с другой — уравновешенный и сдержанный. Хоть и маленькая, но уже умеет вести себя достойно на публике. Впрочем, я, как и любая мама, могу рассказывать о достоинствах своего ребенка бесконечно, поэтому постараюсь определиться с самым, на мой взгляд, важным.

Честно говоря, я не желаю для дочери моей судьбы — судьбы балерины. Я очень хорошо понимаю: для того чтобы быть балериной на топ-уровне, быть среди первых, нужно по-настоящему пожертвовать своей жизнью, детством и юностью. Своим свободным временем, своим здоровьем и силами. Это огромная зависимость даже с точки зрения физической нагрузки. Каждый день, просыпаясь утром, я думаю о том, где буду сегодня заниматься. И знаю, что если я не буду заниматься ежедневно, то просто выйду из формы. Кроме того, нагрузка, связанная с выступлениями и гастролями, никогда не бывает распределена равномерно. Балетный мир, как правило, таков, что «или пусто, или густо»,— то очень плотный график, то затишье. Такие скачки очень сказываются на здоровье.

Я хочу, чтобы у Ариши были детство и юность, чтобы она могла играть во дворе, если ей этого захочется, встречаться с друзьями, заниматься своим любимым делом. Я не хочу, чтобы балетный станок маячил перед ее глазами всю жизнь. Тем более я не желаю ей столкнуться еще в раннем возрасте с болью, несправедливостью, завистью. Если такое с ней произойдет, пусть это случится как можно позже. Конечно, я постараюсь подготовить ее к тому, что жизнь не всегда бывает прекрасной и легкой. Иначе потом, если все неприятное произойдет неожиданно и резко, я боюсь, что она будет очень разочарована.

Но мне, конечно, хочется, чтобы Ариадна выбрала творческую профессию, может быть, актерскую, чтобы она умела петь и танцевать. В любом случае, я не хочу ей ничего навязывать.

Я уверена, что каждый ребенок должен с детства осознавать свою свободу. Безусловно, родители его любят, безусловно, защищают, но у него впереди все-таки своя большая жизнь. Жизнь, отдельная от родителей. Он может поделиться с ними своими бедами, может обратиться за помощью, но не должен испытывать зависимость от их мнения. Я думаю, что многие родители грешат именно навязыванием ребенку своего мнения, мешая ему тем самым осуществлять свой жизненный выбор. Мне кажется, что ребенку необходимо предоставить все возможности для всестороннего развития его личности и отпустить «в свободное плавание». Понимаю, что рисую идеальную картину, что все-таки жизнь гораздо сложнее любой схемы, но мне хочется попробовать придерживаться именно такой философии в воспитании. Говорят же, что не надо бояться стремиться к совершенству... В чем бы то ни было.

Для меня «детская» тема, если можно так выразиться, очень близка к христианской. Я думаю, что человек должен исповедовать веру той страны, в которой он родился и живет, но при этом с уважением относиться к другим религиям. Любой духовный опыт очень важен, и нужно его изучать хотя бы с философской точки зрения. Самое ценное в нашей вере — умение сопереживать. И мне очень хочется, чтобы Ариадна научилась относиться к людям с состраданием и оценивала их вне зависимости от их финансового достатка. Я сама с большой ответственностью отношусь к участию в благотворительных концертах. За первый год после рождения ребенка я станцевала более пятидесяти спектаклей и концертов, и половина из них были благотворительными. Самой масштабной акцией такого плана стал один замечательный праздник в Москве.

Вместе с Игорем мы арендовали Кремлевский дворец. И помимо полутора тысячи московских детишек нам удалось привезти три с половиной тысячи детей из пятнадцати регионов России! Мы подарили им экскурсию по городу, катание на катке и мой концерт. Сама концертная программа была подготовлена с участием многих талантливых детей! Я была так счастлива! Пообещала приехать в каждый регион с ответным визитом и свое обещание выполнила! Но один из городов, где я побывала, навсегда оставил рану в моем сердце...

Сердца людей всего мира потрясла беда, пришедшая в Северную Осетию, в город Беслан. В тот день, третьего сентября 2004 года, школа № 1 была захвачена террористами. Чудовищная жестокость этих нелюдей унесла жизни ста восьмидесяти шести детей, их родителей и бойцов отрядов «Альфа», «Вымпел» и МЧС, отдавших свои жизни.

Считая это своим человеческим долгом, вместе с моей командой я поспешила в Осетию, чтобы встретиться с людьми, пережившими эту трагедию. А значит, фактически с каждой семьей в Беслане. Я хотела подарить свой концерт детям, оставшимся в живых, и матерям, потерявшим своих чад. Встречая на улицах людей, я была поражена тем, насколько их глаза и лица их были полны доброты, света и отчаяния. В этих глазах было столько великой скорби и боли...

Концерт прошел на надрыве чувств и эмоций. В завершение состоялся ужин для моей команды, организованный президентом республики Таймуразом Мамсуровым. В тот вечер я имела честь лично пообщаться с этим великим человеком. И я счастлива, что наше знакомство в тех печальных обстоятельствах переросло в человеческую дружбу.

Таймураз Дзанбекович — уникальный человек. Надо ли говорить о том, что его собственные дети находились там, где разворачивалась эта чудовищная трагедия... Что пережил этот человек! Великое мужество в его сердце, а значит, и в его поступках — на благо жителей Северной Осетии!

На том памятном концерте мне подарили бесчисленное множество цветов. Я всегда берегу все букеты, подаренные мне зрителями, не оставляя ни один цветок. Иногда, правда, я изменяю своей традиции и жертвую часть цветов на украшение православного храма. Но в тот день, уезжая из Беслана, я ощутила острое желание оставить все свои цветы погибшим детям.

На кладбище я испытала ранее не ведомое мне по силе чувство потрясения. Целый город могил...

275

Могил детей и тех, кто отдал свои жизни вместе с ними... В Осетии это кладбище называют «Город ангелов». На одной из могил стоит сразу несколько памятников. Здесь лежат шесть детишек из одной семьи... Их мама осталась жива, и для нее теперь, как и для всех родителей, потерявших своих детей, равносильно проклятию услышать пожелание «долгих лет жизни»... Мать тех шести детей завидует той, что погибла вместе со своими дочерьми. Это великое горе!!! Меня потрясли женщины, заспешившие мне навстречу от могил своих детей. Они плакали и благодарили меня... А я не могла понять — за что?! Каждое утро они приходят к своим детям, в «Город ангелов»... и остаются с ними до ночи.

Мы стояли у могилы неопознанных погибших детей. Впервые в жизни я не могла найти слов для этих женщин... Мы просто плакали вместе.

Весь полет я не могла сдержать слез... А вернувшись в Москву, поняла, что любому из нас, кому в жизни чего-либо не хватает — денег, власти, славы, нужно поехать в Беслан и посмотреть в глаза его жителей... Эта поездка заставила меня многое переоценить.

На еще один благотворительный концерт — в Петербурге — мы решили пригласить детей из клиники, где делают сложные операции на сердце и головном мозге. Я поехала туда, потому что, посмотрев на меня вживую, поговорив со мной, дети получат больше удовольствия от концерта. Мы очень хорошо с ними пообщались. Двое детишек — мальчик и девочка — подарили двух мишек, держащих красное сердечко. Они сами сшили эту игрушку. Я храню ее дома до сих пор. В другой палате лежала пятилетняя малышка. Мы разговорились о том, как ей живется в больнице, какое у нее здоровье, и она призналась: «Я люблю цветы... Вот самое дорогое, что у меня есть». Девочка показала маленький кусок холста, на котором крестиком был вышит очень красивый цветок — роза. Это была память о маме, научившей ее вышивать и которой уже не было на свете.

Когда после спектакля на поклонах в зал дали свет, я увидела в толпе зрителей у сцены на плечах высокого мужчины ту самую девочку. Она протягивала мне свое самое дорогое — вышитый цветок. Я хотела сдержаться, но не смогла, расплакалась...

С тех пор на каждом моем концерте присутствуют дети. Они вырастут и знать не будут, какой талантливый директор руководил Большим театром и как он на его руинах возвел развлекательный центр с ресторанами и казино. Но, может быть, кто-то из этих малышей через десятилетия, услышав мое имя, скажет: «Я ее видел на сцене, она танцевала для меня».

Я часто бываю в детских домах и общаюсь там с детьми. Когда Аришка немного подрастет, обязательно буду брать ее с собой, чтобы она видела не очень светлую сторону жизни и жизнь других детей. Честно признаюсь, дети — моя самая любимая публика, танцевать для них — огромная радость! По крайней мере мне всегда хочется принести в их жизнь что-то яркое, какую-то сказку. Особенно в жизнь тех, кто этой самой сказки лишен. В моей судьбе случалось достаточно встреч от того, что ты ничем не можешь помочь: не прибавишь здоровья, не подаришь счастье. Но сказать какие-то добрые слова можно, помочь в малом можно, подарить — пусть ненадолго — свое внимание можно. Помню, я просто рыдала, когда после концерта ко мне в гримерную привели маленькую девочку, которая практически не могла ходить. Она очень хотела станцевать передо мной «умирающего лебедя». И она так старалась, и это было так больно и так трогательно, что я не могла сдержаться и заплакала. И подобных историй я пережила немало...

Мне хочется, чтобы моя дочка понимала, что удача родиться и жить в благоприятных жизненных условиях накладывает на человека большую ответственность. Если тебе дарована более легкая жизнь, значит, ты должен стараться делать все, чтобы как-то облегчить жизнь тех людей, которым повезло меньше. Может быть, я говорю банальные истины, но это очень важные для меня истины.

Глава 12

«РУССКИЙ ГАМЛЕТ»

Я вижу колоссальный потенциал в балетном искусстве, в его магическом влиянии на зрителей. Движение — это колоссальное оружие, несущее в себе и созидательную, и разрушительную энергетику.

Борис Эйфман

Опыт работы с Борисом Эйфманом оказался для меня чрезвычайно интересен, прежде всего, конечно же, в профессиональном плане. Поэтому, когда в ходе постановки балета «Русский Гамлет» на сцене Большого театра он предложил мне танцевать партию Екатерины II и премьеру, я, конечно, с радостью согласилась. Балеты Бориса Яковлевича я всегда смотрела с восхищением и в то же время с некоторым страхом. Подобное чувство должно возникать у всех, кто знает только классическую балетную технику, ведь Эйфман работает на границе двух танцевальных стилей — классики и contemporary dance [1], создав свой собственный стиль. Мною очень любимый.

Временами танцовщики Эйфмана напоминают акробатов, двигающихся с избыточной физической и драматической силой. Иногда их тела принимают

---

[1] Направление искусства танца, включающее танцевальные техники и стили XX — начала XXI века, сформировавшиеся на основе американских и европейских танцев Модерн и Постмодерн.

асимметричные нереальные позы. Нереальные — с точки зрения классического балета Мариуса Петипа. Вместе с тем Борис Эйфман создает настолько живое и эмоциональное действие на сцене, настолько мощное по энергетике, что классика балета по сравнению с ним кажется детской игрушкой, наивной и примитивной сказкой.

Согласие участвовать в постановке Бориса Яковлевича для меня было чем-то вроде вызова себе самой. Хотя со стороны, наверное, это выглядело нелогично на фоне обидных обвинений в том, что Волочкова — неклассическая балерина. Ей бы доказывать обратное, а она отправляется прямиком в спектакль к Эйфману, которому ортодоксы классического балета в лучшем случае отказывают в звании хореографа. А мне в тот момент, наоборот, хотелось попробовать себя в чем-то новом, тем более что по технике и сценической насыщенности спектакли Бориса Яковлевича гораздо сложнее классических русских балетов.

Конечно, привлекал меня и образ Екатерины II. Одно дело — танцевать роли вымышленных влюбленных красавиц, принцесс, фей, белых и черных лебедей, другое — погрузиться в судьбу, характер и страсти совершенно реального человека, а потому сложного и неоднозначного в своих желаниях. У меня до сих пор свеж в памяти мимолетный жест, с которым императрица нежно прижимает к себе голову сына, чтобы потом тут же оттолкнуть и отшлепать его. Такая, казалось бы, маленькая, но очень выпуклая черточка чувства любви-ненависти, которое Екатерина II испытывает по отношению к Павлу.

Кроме того, надо учитывать, что я родилась в Петербурге и для меня фигуры таких наших самодержцев, как Петр I, Елизавета Петровна, Екатерина II, в каком-то смысле являются культовыми. Недаром говорят, что в городе на Неве каждый камень дышит историей. Да и в детстве моя мама в качестве экскурсовода водила меня по родному городу, показывая его дворцы, парки и сады и рассказывая, какая история связана с тем или иным местом.

Я уже сама успела составить свое собственное мнение о Екатерине II как о матери, и мне хотелось сравнить образ, созданный Борисом Яковлевичем Эйфманом, с тем, что существовал в моем воображении. Я, например, знаю, что очень непростые отношения у императрицы сложились и с другим ее отпрыском Алексеем Бобринским, незаконнорожденным сыном от Григория Орлова. Мне известна и другая историческая подробность: как Павел в день смерти матери пришел к гробу своего отца Петра III, помещенному в подвальный свод Александро-Невской лавры, и возложил на гроб российскую императорскую корону. И похоронил он отца и мать вместе в Петропавловском соборе, а возглавлять похоронную процессию заставил Алексея Орлова (возможно, и нанесшего смертельный удар). Впрочем, все правление Екатерины II было связано с настолько интересными исторически-ми фактами, что перечислять их можно бесконечно.

К тому же историческая правда не столь важна, когда речь идет о творении такого неординарного хореографа, каковым является Борис Яковлевич Эйфман. Сам он так определил цели постановки спектакля: «Мой балет — не историческая хроника, не академическое исследование, это хореографическая фантазия. Создавая спектакль, я, конечно, тщательно изучал существующую литературу о Павле и

281

Екатерине, но, так как это спектакль о мистическом фантазере, я позволил внести в его историю некоторую фантазию... Для меня главное — психоанализ героев, сложные отношения матери и сына, удивительные фантазии, в которых пребывал царевич Павел, его способность уходить в мистические миры».

Если говорить о либретто, то сюжет балета «Русский Гамлет» лежит сразу в двух реальностях — события детства и юности царевича Павла пересекаются с шекспировской трагедией о принце датском. Параллель читается достаточно легко. У обоих были подло убиты отцы, и оба сына об этом узнали; у обоих насильно отняли предназначенный им по праву трон; оба потеряли любимых женщин. Оба были безумцами, правда, один притворился, а другим действительно владела мания преследования. И, наконец, оба жаждали мести и воспринимали ее как высшую справедливость. Только Гамлет в незабвенной шекспировской трактовке в деле мести преуспел, а Павел со сцены «уезжает» на длинном шлейфе платья своей не прощенной, но и не побежденной матери, не в силах совладать с ее могучей волей.

Сложность партии Екатерины II для меня, прежде всего, заключалась не столько в том, чтобы выучить неклассический порядок движений, сколько в том, чтобы перенять сам стиль исполнения эйфмановской труппы. С моими партнерами Марком Перетокиным и Константином Ивановым мы, конечно, репетировали в Москве под руководством Бориса Яковлевича. Но когда случился вынужденный перерыв в репетициях, и он уехал в Петербург, я посчитала для себя невозможным оставаться в столице и тоже перебралась в родной город, чтобы продолжить занятия на базе его труппы.

В одном из интервью Борис Эйфман гордо заметил: «Мои актеры — труженики, они работают по восемь часов в день!» Скажу вам, дорогие мои читатели, что он скромно преуменьшил. Я больше никогда в жизни не встречалась с настолько самоотверженно работающим коллективом: не за страх, а за совесть, не ради денег, а ради искусства. Танцовщики начинали занятия с раннего утра и работали до середины дня, потом следовал двухчасовой перерыв, во время которого они спали на скамеечках, матах или прямо на полу в балетном зале, чтобы восстановить силы. Затем, где-то с пяти часов, репетиции возобновлялись и продолжались до десяти часов вечера. Я при виде этого испытывала ужас и восторг одновременно.

С одной стороны, мне чрезвычайно хотелось войти в постоянный состав, стать участником команды Бориса Яковлевича. С другой — тогда уже существовала моя независимая сольная концертная программа, и лишаться ее я совершенно не желала. А совмещать и то и другое даже и не стоило пытаться. Физически это было просто невозможно. Тем не менее весь период подготовки к премьере я репетировала вместе с педагогами и артистами Бориса Яковлевича, потому что для меня важно было не выпадать из общей стилистики постановки и подготовить партию так, как ее видит поверивший в мои способности хореограф.

Какое это было счастливое время! Я же привыкла к тому, что «Волочкова работает больше всех, потому что „выпендривается"». И скажу вам, нет ничего лучше, чем заниматься с людьми, которые готовы выкладываться до конца. И каждый день, приходя в балетный зал и занимаясь на очень жестком полу, разительно отличающемся от удобных полов Большого, я чувствовала, что происходящее — это настоящая работа, истинное мастерство.

Работа в труппе Бориса Яковлевича дала мне столько, сколько не дал ни один театр мира. И могу сказать с абсолютной ответственностью, что танцовщики Бориса Эйфмана получили классическое балетное образование, но это не значит, что они — классические танцоры балета. Чтобы танцевать в стиле Эйфмана, необходимо забыть азы балетной школы и одновременно превзойти все то, что называют совершенным классическим балетным танцем.

Я бесконечно благодарна великому Мастеру. И не только за «науку», а еще за бесстрашие и принципиальность. Премьерные спектакли в Большом театре проходили не совсем гладко. Меня хотели отстранить от премьеры и перевести в другой состав — с партнерами, с которыми я вообще не работала. А это не просто тяжело, это недопустимо в постановке, где все исполнители после репетиций становятся одной слаженной командой. Борис Яковлевич, несмотря ни на что, сумел отстоять мое участие и поставил его условием своего премьерного спектакля.

Когда с огромным успехом прошло несколько премьерных спектаклей, «Гамлет» был исключен из репертуара и, если можно так выразиться, помещен в «запасники» Большого театра, потому что хореография Эйфмана была намного лучше, чем у Фадеечева. Чем занимался Фадеечев? Он просто перекраивал спектакли Григоровича, менял цвет костюмов, переставлял местами акты: третий становился вторым, а второй — третьим. И это свое «творчество» он называл «Балетом Алексея Фадеечева». Причина, по которой все это делалось, была очень простой — деньги. За каждый «авторский» спектакль балетмейстерам платили немалые суммы.

Потом и Григорович стал неугоден Большому театру. Думаю, тем, что был слишком крупной фигурой, с ним нужно было или считаться, или расстаться. Иксанов, конечно, выбрал второе. Ему всегда было удобно с безмолвными и поддакивающими безударями.

Григорович поехал в Краснодар и создал там свой театр, в котором поставил больше пятнадцати балетов. Сегодня столько не идет и в Большом. Его театр стал событием, новым флажком балетного искусства на карте России.

А в Большом театре теперь правят бал совсем другие люди. Галина Вишневская, побывав на опере «Евгений Онегин», написала открытое письмо. На ее взгляд, то, что она увидела на сцене, иначе как кошмаром не назовешь. Если театр не исправит ситуацию, писала Вишневская, она отказывается от проведения своего юбилейного вечера на его сцене.

И что же делает Иксанов? Он тоже пишет открытое письмо: мол, многие свои юбилеи отмечают и дома. Какой-то администратор посмел так ответить самой Галине Вишневской! Конечно, Иксанову выгоднее, чтобы юбилеи на сцене Большого театра отмечали коммерческие структуры, которые реально связаны с деньгами и щедро оплачивают услуги администрации.

Но жизнь все расставляет по своим местам. Где сейчас все те, кто пытался помешать мне танцевать? Ананиашвили в Грузии. Фадеечев «процветает» в Ростове. Я нисколько не принижаю этот театр — всегда с удовольствием в нем выступаю, но вот застать Фадеечева не удалось ни разу. Стоит мне прилететь в Ростов, он куда-то уезжает. Над этим уже смеются труппа и дирекция. Он не может вынести присутствия балерины, которую так долго и безуспешно пытался уничтожить. Если мне все-таки удастся его встретить, обязательно скажу ему все, что о нем думаю. Он это знает, потому и прячется.

Я очень горда, что мне посчастливилось танцевать в постановке выдающегося хореографа Бориса Эйфмана. В результате общения с Борисом Яковлевичем мне в конечном итоге неожиданно легко далось окончательное расставание с Большим театром. Я вдруг действительно ясно осознала, что передо мной открыты все площадки мира и, главное, я готова к этому.

Сегодня у меня, конечно, изменилось отношение к классическому балету. Мне уже стало немного скучно его танцевать. Мне хочется танцевать не просто вымышленный персонаж с придуманными страстями, а людей, личностей, создавать живые образы. Не просто играть роль, а именно создавать образы. Сегодня мне гораздо интереснее танцевать в своих концертных программах, предлагая зрителю по-настоящему эксклюзивный продукт. Я надеюсь, что в будущем мне еще предстоит участвовать в совершенно необычном спектакле, может быть, даже авангардном с элементами шоу-программы. Классические балеты будут танцевать всегда, их и сейчас танцуют многие балерины, и многие это делают наверняка лучше меня. А мне сегодня не хочется, что-бы меня сравнивали с кем-либо, я хочу создавать свое и быть в этом неповторимой и несравненной, неординарной и интересной. Я готова к своему «прорыву», к тому, чтобы делать что-то совсем неожиданное для зрителей, появляться в неожиданных и немыслимых образах, поражать, интриговать, восхищать и пробуждать в них творческое отношение к жизни.

Можно, конечно, с гордостью сказать, что на сегодняшний день я всем довольна. Но, к сожалению, в моей жизни очень редко случаются моменты, когда я чувствую, что полностью всем удовлетворена. Я словно девочка, собирающая ягоды: на одну ягодку гляжу, вторую подмечаю, а третья мне сама подмигивает.

Мне хотелось бы организовать свой театр и школу при нем. Я нисколько не претендую на роль педагога, думаю, для такой профессии надо иметь особенный талант. Мною владеет желание объединить под «одной крышей» талантливых, сильных, ярких и неординарных личностей. Я на своем примере знаю, что именно таких людей в жизни пытаются сломать. Это механизм, который я хорошо прочувствовала: как только человек начинает быть чуть ярче окружающих, пренебрегает стереотипами, он становится вдруг очень неудобен в любой среде, не только театральной. Я достаточно близко знакома со многими людьми, которые были уволены из театров просто по причине их неравнодушия, по принципу: тебе больше всех надо — так получи! Именно таких людей я хочу привлекать в свой театр, если мне посчастливится его создать.

Ну а школа — не только для талантливых детей из глубинки России, которым родители не могут обеспечить достойное обучение из-за нехватки денег. Мне хотелось бы ее организовать еще и для тех ребятишек, которым вовсе необязательно становиться великими танцовщиками, а им просто интересен мир танца. Балетное искусство необходимо популяризировать. Детишки, которые брали уроки классического танца, будут хорошо разбираться в нем и в зрелом возрасте. Им будет понятен язык моего любимого вида искусства. Конечно, подобные частные школы-студии уже существуют, но я думаю, что мне удастся организовать обучение на гораздо более высоком уровне и дать ученикам действительно оригинальное и лучшее. Хотелось бы, чтобы лучшие преподаватели развивали индивидуальные способности каждого ученика.

ЗА СЦЕНОЙ

Глава 13

МОИ ОПЫТЫ В КИНО

Предложения сняться в кино начали поступать мне довольно рано, почти сразу после окончания Академии балета. Но в то время я была так занята в репертуаре Мариинского театра, что не могла ни на что отвлекаться.

В Москве у меня появилось больше свободного времени, и я стала читать предлагаемые сценарии.

Я остановила свое внимание на сценарии фильма «Черный принц». Мне показалось интересным сыграть сразу двух героинь, существующих в разных веках. Одна из героинь — жена Пушкина Наталья Николаевна Гончарова. Ее образ, нарисованный в сценарии довольно условно, можно было попытаться оживить. Такая сложная задача сразу меня увлекла.

Роль моей современницы балерины Наташи была интересна для меня теми острыми детективными событиями, которые разыгрывались вокруг нее.

Фильм снимал режиссер Анатолий Иванов. Он пригласил на главные роли известных киноактеров.

На съёмках мне посчастливилось познакомиться с великолепной Ириной Скобцевой. Она была очень красива и аристократична в роли моей бабушки. Роль Пушкина, а также современного художника, влюблённого в мою героиню, блестяще сыграл Левани Учанеишвили.

Роль чернокожего американца, с детства бредившего Пушкиным и приехавшего в Петербург, чтобы увидеть места, связанные с поэтом, сыграл Рэй Чарльз-младший — сын знаменитого певца Рэя Чарльза. Его герой должен был соединять две эпохи, разыскивая в современности следы Пушкина.

В фильме большое место занимают прекрасно запечатлённые виды Петербурга.

Мой партнёр Левани Учанеишвили поражал меня на съёмках своим высоким профессионализмом. У нас с Левани была прекрасная сцена, когда художник приходит в зал, где репетирует балерина Наташа, и мы начинаем танцевать вальс. Он танцевал со мной и делал поддержки, как настоящий балетный артист, чем совершенно меня покорил.

Можно сказать, что Левани стал на съёмочной площадке моим главным учителем. Анатолий Иванов пригласил его из Голливуда и не ошибся в выборе.

Съёмки фильма происходили в основном в Петербурге осенью и зимой 2002—2003 годов. Погода нас не баловала. Осень выдалась ненастной, а зима — морозной. Нам приходилось всё время мёрзнуть в наших лёгких костюмах. Особенно страдал Левани. Тем не менее он не позволял себе унывать и своими весёлыми рассказами и остроумными шутками согревал нас. Эти съёмки вспоминаются мне как одно большое захватывающее приключение.

Фильм «Черный принц» получил в 2004 году Гран-при жюри Нью-йоркского международного фестиваля независимого кино.

В 2003 году я получила от режиссера Али Хамраева приглашение сняться в восьмисерийном телевизионном фильме «Место под солнцем» по роману Полины Дашковой.

Опять я должна была играть роль балерины и опять в детективном сюжете. Все как в жизни! Только на этот раз все-таки приехать на пробы, пребывая, однако, в сомнениях и нерешительности. К моему огромному удивлению и смущению, съемочная группа во главе с продюсером Денисом Евстигнеевым и режиссером Али Хамраевым встретила меня букетом моих любимых белых роз. Такое внимание очень меня растрогало, и мне захотелось оправдать надежды этих людей. Не думаю, что проба прошла идеально, но я очень старалась и была внимательна к указаниям режиссера. Меня утвердили, и началась работа над фильмом.

Однажды я спросила у Али Хамраева, почему он решил именно меня снимать в главной роли, даже не пробуя других актрис. Он сказал мне, что его маму тоже звали Анастасия, она украинка с Полтавы. И добавил более серьезно, что режиссеры часто не могут объяснить, почему при прочтении сценария в сознании появляется образ той или иной актрисы.

Я впервые принимала участие в съемках телесериала, и меня многое удивляло в этой работе. Прежде всего, отсутствие длительного репетиционного процесса, без которого так трудно вживаться в роль. И здесь, конечно, огромную помощь и поддержку мне оказывали мои партнеры по картине. Надо сказать, что Али Хамраев собрал в этом фильме удивительное созвездие актеров. Мою маму играла Людмила Чурсина, свекра — Александр Лазарев, мужа — Максим Аверин. В фильме были заняты Ия Саввина, Виктор Проскурин, Сергей Горобченко, Игорь Яцко.

У этой картины был также и замечательный оператор, знаменитый Вадим Алисов, работавший на таких фильмах, как «Вокзал для двоих», «Жестокий романс», «Забытая мелодия для флейты» и многих других.

Мне нравилось, что обстановка на съемочной площадке была очень доброжелательной. Свои замечания Али Хамраев делал мне всегда деликатно. Например, если я брала не ту интонацию, он мог, прервав съемку, сказать мне тихо на ушко: «Мягче, прошу вас, не переживайте...» Главным его советом было помнить, что это не театр, где моя мимика должна быть видна двадцатому ряду. На экране — мой крупный план, и зритель видит малейшее движение лица, а глаза передают все, что творится у меня на душе. Зритель видит и чувствует, когда я затаила дыхание, а когда облегченно вздохнула...

Эти азбучные истины для киноартиста мне, балерине, не так-то легко было освоить. Я привыкла все свои эмоции передавать зрителям с помощью танца.

Искренность и естественность на экране даются не-просто. В этом смысле мне несколько помогало то обстоятельство, что я снималась в своих платьях и костюмах. Прекрасный стилист и художник этой картины Рустам Хамдамов по моему приглашению поехал ко мне домой и помог подобрать одежду и ак-сессуары для съемок из моего гардероба.

Когда съемки фильма «Место под солнцем» за-кончились, у меня осталось ощущение, что прожито что-то важное в моей жизни, что дало мне новый опыт и новые знания. А главное — новых друзей, с которыми теперь я уже не хочу расставаться.

Можно ли назвать киноопытом съемки клипов? Наверное, можно, потому что в них за несколько ми-нут нужно не просто показать танец, но и постарать-ся прожить историю своей героини, передавая зри-телю ее чувства и переживания.

Идею создания клипов на основе моих концерт-ных номеров подсказал мне мой хороший друг Па-вел Кашин. Павел познакомил меня с режиссером телевидения Борисом Деденевым, который и снял мои первые два клипа — «Гибель богов. Вилисса» и «Amazing grace».

В дальнейшем я работала со многими режиссера-ми над съемками хореографических миниатюр. Назову Олега Гусева, Федора Бондарчука, Хуана Лара, Сергея Кальварского. Все они, конечно, вносили свое видение в раскрытие сюжета моих номеров, поэтому на экране возникало уже что-то новое, отличающееся от сценических версий.

К настоящему времени снято уже более десятка клипов по номерам, входящим в мои концертные программы.

Съемки проводились и в декорациях (в павильонах), и на натуре. Иногда это были дворцовые интерьеры, а иногда просто уголки парка. Каждый раз это была для меня совершенно новая и очень ответственная работа. Должна сказать, что за нашими маленькими экранными произведениями стояли очень серьезный труд режиссера, оператора, художника и, наконец, мой труд как актрисы. Так что клипы — это тоже очень интересные и важные для меня опыты в кино.

Глава 14

ЛЕДНИКОВЫЙ ПЕРИОД
на ТВ и в сердце

Я всегда с восторгом и удивлением смотрела на выступления фигуристов. Это было очень красиво, но и очень страшно. Захватывало дух от немыслимых, сложнейших элементов, выполняемых на лезвии конька. И я никак не могла себе представить, что когда-нибудь сама встану на коньки и смогу прикоснуться к этому виду искусства.

С детства я готовилась быть балериной, и никакой вид спорта меня не привлекал. А в хореографическом училище нам строго объяснили, что коньки и лыжи противопоказаны при занятии балетом. В первую очередь, из-за своей специфики, во вторую — из-за высокой вероятности получить травму.

Предложение Ильи Авербуха принять участие в его проекте «Ледниковый период» совершенно меня ошеломило. Разумеется, я отказалась. Но Авербух проявил настойчивость, и я согласилась на встречу с ним. Хотела лично объяснить ему свой отказ, рассказывала о том, какой это риск для моего здоровья и профессии, и о том, что невозможно совместить еженедельное фигурное катание с репетициями и огромным количеством моих концертов, уже запланированных на осенний период.

Однако Илья Авербух тоже был очень убедителен, он с таким удивительным азартом, воодушевлением и знанием дела рассказывал о своем новом проекте, что заронил-таки во мне искру интереса. Что касается моих возможностей, то Илья был уверен, что я все смогу освоить, потому что искусство балета в чем-то сродни танцам на льду. Опасность травм, по его словам, сводится к минимуму, потому что со мной будут заниматься лучшие тренеры, а в партнеры мне дадут самого надежного и опытного фигуриста, олимпийского чемпиона. Но я понимала, что риск получить травму и потерять профессию оставался. И тогда я решила поступить следующим образом: мне показалось, что будет правильнее и честнее сначала попробовать, способна ли я вообще общаться со льдом, а потом уже, по результату своих ощущений, отказаться или рискнуть и согласиться.

Все близкие мне люди, а главное, Нина Семизорова — мой педагог-репетитор, — были в ужасе. Юрий Николаевич Григорович признался мне впоследствии, что каждый раз невероятно волновался, глядя на мое выступление по TV, и ждал очередной номинации с надеждой на мой выход из проекта. У него, надо сказать, были серьезные причины для волнения. Параллельно с ледовым шоу шли репетиции новой постановки Григоровича, балета «Корсар», на сцене Кремлевского дворца, где я должна была танцевать главную партию. И, конечно, я не могла допустить мысли о том, чтобы подвести Юрия Николаевича.

Не сомневаясь, что мне удастся отказаться от настойчивых предложений Авербуха, я согласилась приехать на каток и показать всем, что мое участие в этом проекте совершенно невозможно. Илья Авербух посоветовал мне обратиться к Александру Жулину, который, по словам Ильи, готов был помочь мне встать на коньки. Это предложение и тронуло меня, и смутило.

Я позвонила Александру Жулину, трубку подняла Татьяна Навка. Я с большим волнением сообщила ей о причине моего звонка и обратилась с вопросом, где можно взять коньки? И Татьяна вдруг предложила мне свои коньки, что меня очень удивило и по-человечески тронуло. Объясню, почему. Мне кажется, для фигуриста отдать свои коньки другому человеку — все равно что для балерины, для меня например, отдать пару своих уже разношенных по ножке пуантов. Поверьте, это великодушный поступок и проявление большого доверия со стороны Татьяны. Это показалось мне равносильным тому, как если бы сама Плисецкая предложила мне свои пуанты для репетиции.

Мой муж Игорь специально для этого случая купил себе коньки и пришел меня поддержать в прямом и переносном смысле. Именно так это и выглядело. С одной стороны меня держал за руку Саша Жулин, а с другой — Игорь. А я просто шла пешком , на льду. На абсолютно прямых ногах. Наконец, Саша Жулин убедил меня хотя бы чуть согнуть ноги и начать скольжение. И вдруг я испытала какое-то неизведанное ранее ощущение скорости, которой нет в балете. Страх и восторг одновременно. Я поняла, что очень хочу кататься. Сработала главная пружина моего характера — желание преодолеть свой страх и снова доказать себе, что Я МОГУ.

Так в коньках олимпийской чемпионки я сделала первые шаги на льду. Страх перед катанием у меня, конечно же, и сейчас никуда не исчез, что естественно, поскольку мне было и есть что терять. Ноги — это моя профессия и, в общем-то, вся моя жизнь. Конечно, случались падения и даже травмы, но, к счастью, они не были серьезными. Один раз я очень сильно ударилась об лед головой, даже боялась, что получила сотрясение мозга. Слава богу, все обошлось. Несмотря на все неприятности, участие в проекте доставило мне много радости и, самое главное, чувство гордости за то, что я смогла преодолеть себя, свой страх.

Первые же тренировки доказали правоту тех, кто предупреждал меня о том, что техника фигурного катания противоположна балетной. Все, что у нас в балете исполняется на вывернутых ногах, здесь — на завернутых, там, где мы, балетные, вытягиваем ноги, фигуристы — сгибают. Перестраиваться было крайне тяжело. После первых тренировок на катке я бежала в балетный зал проверять, не исчезла ли у меня та самая балетная выворотность, могу ли я встать в первую, вторую, пятую позиции.

Моим партнером в «Ледниковом периоде» стал Антон Сихарулидзе, очень красивый и сильный фигурист. Работать с ним было очень интересно, хотя наши тренировки проходили в очень сложной атмосфере. Антон решил уйти в большую политику и постоянно пропадал в разъездах — шла предвыборная кампания в Госдуму. Нам катастрофически не хватало времени на репетиции, иногда мы начинали готовить номер вечером накануне съемок.

Когда мы с Антоном в очередной раз попали в номинацию на вылет, мне захотелось сделать что-нибудь кардинально новое. И тогда мы придумали номер, где главными героями выступают божжи. Это было так смешно и задорно! Нам помогали Эдвальд Смирнов, хореограф, создатель моих концертных программ, и Саша Жулин. Придумывали, какая жизнь, какая история у божжихи и божжа, которые живут на помойке. Божжихой (роль которой я исполняла) была бывшая актриса: в замечательной горжетке из какой-то шкурки, в короткой юбочке, драных колготках, в театральной шляпке. И вот она, во время номера, со всем своим былым шармом преподносит стаканчик любимому божжу, который приходит к ней полюбезничать каждое утро. Замечательный получился номер!

Еще в самом начале телевизионного проекта, когда предложение Ильи Авербуха только поступило, все родные мне люди были против моего участия: мама, папа, Игорь, Юрий Николаевич Григорович. Все считали, что я просто сумасшедшая. Но потом, когда начались первые съемки, все, конечно, болели за меня, смотрели каждый эфир, все программы, звонили родственникам.

К концу телевизионного проекта мне уже было настолько жаль расставаться с катанием на льду, так хотелось воспользоваться теми навыками, которые я получила, что предложение Ильи Авербуха участвовать в заключительном Ледовом туре я принял с большой радостью.

Нас ждал сумасшедший тур, десятки городов России и мира, безумное веселое время, прожитое с моими любимыми Алексеем Ягудиным, Максимом Марининым, Сашей Дьяченко, Ирой Слуцкой, Таней Навкой, Аней Семенович, Лешей Тихоновым, Димой Марьяновым, Ирой Лобачевой и, конечно, Ильей Авербухом.

Завершение гастролей состоялось в Атлантик-сити. Надо сказать, что я не очень люблю Америку, точнее, я ее совсем не люблю. Все в ней мне кажется искусственным — от архитектуры до человеческих улыбок. Но ночь в Атлантик-сити я запомнила надолго. Мы приехали достаточно поздно, разница во времени составляла восемь часов, и в Москве уже была глубокая ночь, а в Атлантик-сити всего лишь вечерело. В отеле я легла спать, но заснуть не смогла из-за шума. Город переполнен казино, развлекательными центрами, магазинами, ресторанами, ночными клубами, ко всему перечисленному из ресторана отеля неслась дискотечная музыка. Но главное, за всеми этими звуками был слышен еще какой-то шум, особый. Я его отметила в своем сознании на грани засыпания.

Проснувшись в четыре часа утра, я увидела рассвет и поняла, что сам отель находится практически на берегу океана. И рокот океана заглушает все остальные звуки. Я решила спуститься вниз и пробежаться по деревянным набережным Атлантик-сити, послушать океан и подумать о том, что заканчивается один из самых прекрасных периодов моей жизни. Гуляя по набережной, я представляла, как очень скоро увижу дорогого мужа Игоря, и мы будем дарить друг другу подарки и отмечать четыре года нашей совместной жизни

Я прилетела из Лос-Анджелеса рано утром, и в аэропорту меня ждал сюрприз. Встречающие помощники вручили мне большую коробку со словами, что это подарок от моих поклонников. Я, конечно, могла точно назвать имя этого поклонника. И действительно, открыв загадочную коробку, я обнаружила открыточку с нежными словами от Игоря, а также флакончики с моей любимой туалетной водой с оттенками ванили и клубники и изящную коробочку, в которой оказалось кольцо с аквамарином, усыпанное бриллиантами. Просто замечательный подарок и уникальной красоты ювелирная вещь. Я примерно предполагала, что для меня готовится праздник, но ожидать такого подарка не могла.

Меня тронуло до слез внимание мужа, и я в очередной раз почувствовала себя самой счастливой женщиной на свете. Я с нетерпением ждала момента встречи с Игорем, поэтому быстро заехала в салон для того, чтобы сделать красивую прическу, и направилась в наш загородный дом, куда уже были, как выяснилось, приглашены гости. Меня ждал просто фонтан сюрпризов. Двор был полон артистов, облаченных в старинные костюмы: там фланировали дамы в платьях с кринолинами и кавалеры в нарядных камзолах.

Асфальт заброшенного теннисного корта был выстелен ковролином, а сам корт — заполнен красивыми, разноцветными шатрами. В них располагались круглые, уже накрытые столы. Здесь же, рядом с шатрами, построили небольшую сцену, где испол-

303

нителей ожидали музыкальные инструменты. В целом все это выглядело как на редкость гармоничное сочетание старинного салона и уютного концертного зала. Особо отмечу, что Игорь сам украсил все цветами, сам выбирал напитки и закуски, сам приглашал гостей, самых дорогих для нас людей.

Это был чудесный и незабываемый вечер. Мы танцевали до упаду и веселились от души. А в завершение праздника были устроены грандиозный, потрясающий по своей красоте фейерверк и настоящее водное лазерное шоу. Потом наши гости назвали этот праздник мини-свадьбой. В этот вечер мне было очень сложно уснуть, сердце переполняли совершенно необыкновенные эмоции. Ощущение счастья было волшебным, сказочным и вечным.

Вечное счастье. Говорят, что его не бывает. Говорят, что все проходит, и после праздников наступают будни. А радость не может быть постоянной и жизнь — безоблачной. Конечно, я знала все это, но мне так хотелось верить, что со мною счастье останется если не навсегда, то надолго...

То что случилось в моей жизни в течение последующих месяцев, стало предметом безудержного злорадства всей нашей желтой прессы. Игорь увлекся хатха-йогой, стал каждый день посещать

Дом йоги, у него появились новые друзья и учителя. Его увлечение неожиданно стало фанатичным, превратилось в культ, места для меня в этом культе и его сердце просто не осталось. Я перестала быть значимой для Игоря. В какой-то момент он принял решение жить отдельно от нас с Аришей, что очень сильно меня ранило. Я не смогла смириться с тем, что все то, что для нас было святым и важным, в одночасье перестало иметь для Игоря значение...

Я человек публичный и всегда делилась с моими зрителями, а теперь и моими читателями всеми своими радостями и печалями, удачами и невзгодами. Причем делала это с одинаковой честностью. И мне хочется, чтобы женщины на моем примере увидели, что сказка в любой момент может закончиться, поэтому надо максимально дорожить и наслаждаться ею, пока она длится. Конечно, то, что произошло в моей жизни, стало для меня большим ударом, огромной трагедией. Но это испытание, которое следует понять и выдержать. И не только остаться человеком, но сделать себя лучше, добрее и сострадательней.

Игорь подарил мне четыре года волшебной сказки и необыкновенную дочь — Ариадну, для которой он был и всегда будет самым лучшим и любимым папой. Я благодарна Игорю за то, что мы в результате сохранили дружеские отношения. Умение завершать личные отношения красиво — очень большое достоинство.

Я уже писала в одной из глав, что если закрывается одна дверь, то обязательно откроется другая. Так и всегда в моей жизни: что-то заканчивается, а что-

305

то новое, яркое, манящее тут же начинается. В чем мое предназначение на земле? Только танцевать? Это уже немало, ибо я дарю людям радость, благодаря мне они прикасаются к божественному искусству. Но я любопытна от природы, и новые вызовы, которые мне бросает время, принимаю с благодарностью.

Глава 15

СОЧИ 2009

«Неужели вы всерьез думаете, что балерина может управлять большим городом?» — насмешливо, уничижительно спросили меня на одной радиостанции в самый разгар предвыборной гонки за пост мэра Сочи. Память словно разрезали слова моих первых балетных «учителей»: «Настя, ты никогда не сможешь танцевать!» Ненавижу с тех пор, когда кто-то сомневается в моих силах и способностях. Где они теперь, те насмешники из Вагановского училища, которые утверждали, что я никогда не буду танцевать на большой сцене?

Идея побороться за Сочи сначала возникла как шутка во время одной из дружеских посиделок. Посмеялись и забыли. Газеты продолжали писать о том, что выборы мэра города, которому в 2014 году предстоит стать олимпийской столицей, это уникальное событие, поскольку в новой России все региональные руководители назначаются из Москвы. Когда мои приятели из Сочи, владельцы нескольких маленьких гостиниц, позвонили мне в Москву и еще раз озвучили предложение выставить свою кандидатуру, я впервые задумалась: «Люди не воспринимают меня только как артистку, верят, что я могу делать больше, чем просто танцевать».

В театральном мире, откуда я родом, есть одно очень неприятное выражение — «балетное тупье». Так за глаза называют танцоров и балерин, которые не в состоянии связно говорить и думать. Они бывают хороши на сцене и замечательно танцуют свои партии. Вне сцены они превращаются в красивых, грациозных парнокопытных. Когда они открывают рот, окружающие начинают снисходительно улыбаться и понимающе кивать: «Ну что взять с балерины...» Про меня тоже всякое приходилось слышать. Одно знаю точно — никогда не воспринимала себя только как балерину и не считала, что моя жизнь должна исчерпываться театром. Я всегда старалась превратить каждый концерт в большой социальный проект. Всякий раз, отправляясь с гастролями в регионы, я просила своего директора договариваться с организаторами о проведении мастер-классов для местных детишек, дополнительного концерта, не за деньги. Знаю, что и в столичных городах не всем, кто любит меня, по карману купить билет на мои концерты. Что уж тут говорить о городах за пределами Москвы и Петербурга, где люди буквально борются за кусок хлеба насущного!

Танцуя для зрителей, которых пригласили бесплатно, а это, как правило, старики и детдомовцы, я испытываю особый восторг, так как знаю, что они — сверхблагодарная публика. Посещая с концертами российские города, я постоянно сталкиваюсь с несправедливостью, ханжеством бюрократии и равнодушием к судьбам людей. Если во время гастролей появляется возможность посетить детский дом, встретиться со стариками — это часть моего долга перед зрителями.

Поэтому, когда просьбы моих друзей-сочинцев защитить их интересы стали настойчивее, я сказала себе: «А имею ли я право отказываться, если люди просят меня и так верят мне?» Сообщения о моих раздумьях просочились в прессу, и Интернет заискрил развеселыми заголовками: «Балаган в Сочи», «Танцы маленьких лебедей», «Балерины рвутся к власти», «Танцующая в темноте», «Кабы я была царица...» Кого-то другого, возможно, такое враждебное отношение прессы заставило бы отказаться от всех планов, но меня только мобилизовало!

Решение было принято, и я ни на минуту не пожалела, что ввязалась в борьбу. Начались постоянные поездки в Сочи. Ради того, чтобы вовремя сдать документы на регистрацию, мне даже пришлось пойти на беспрецедентный в моей творческой биографии шаг — я отменила свой концерт в Ставрополе. Прием документов походил на детский праздник — улыбающиеся сотрудники сочинской избирательной комиссии выстроились в ряд, каждый норовил сфотографироваться и сказать что-то хорошее. Улыбчивая секретарь комиссии Валентина Ткачева и глава комиссии Юрий Рыков принесли мои фотографии, сделанные в Сочи несколько лет назад, наперебой тараторили о том, как любят и ценят мое творчество. Я даже предположить не могла, что эти же самые люди перестанут улыбаться и хладнокровно вычеркнут мое имя из списка кандидатов, когда поступит команда сверху. Мне не впервой сталкиваться с человеческим лицемерием. Уже привыкла.

Впрочем, в тот по-сочински теплый мартовский день, когда я сдавала документы, мне хотелось думать только о хорошем. Мой первый же выход «в люди», на сочинский центральный рынок только укрепил мое желание бороться за простых людей. Десятки торгующих и покупателей срывались с мест и подходили ко мне, чтобы лично рассказать о своих проблемах и надеждах, о том, что власти погрязли в стяжательстве и вспоминают о людях только в период выборов. Я узнала, что в главном городе-курорте страны в некоторых районах нет газа и водопроводной воды, что выделенные деньги исчезают в карманах чиновников, а люди остаются без газа, воды и электричества. «Чиновники все одинаковые, — кричали мне пестро одетые женщины, — только обещают! Мы им не верим больше, а вам верим!» Я поняла вдруг, что полное отсутствие у меня политического опыта и опыта управления городом — это только плюс в глазах моих избирателей. Ведь я никак не повязана с коррумпированной бюрократической средой, где рука руку моет.

Среди серьезных кандидатов на пост мэра я оказалась единственной, кто никак не был связан ни с властью, ни с оппозицией. Предложения оппозиционных кандидатов об отмене Олимпиады я не разделяла, а с властями у меня никогда и не было никаких особо теплых отношений. Мне от них ничего не надо — еще со времен скандала с Большим театром, когда одинокую девушку вышвыривали на улицу, я безрезультатно обивала пороги многих приемных и поняла, что помощи ждать неоткуда. С тех пор во всех своих начинаниях я опираюсь только на собственные силы, и Сочи не стали исключением.

Во время моих многочисленных встреч, проезжая дворы и поселки, я убедилась, что город, которому предстоит принять зимною Олимпиаду, живет как бы и в 2009-м, и... в то же время лет двести назад. Обшарпанные дома, разбитые улицы, замусоренные пляжи и свалки — все это не давало поверить сторонему наблюдателю, что уже через пять лет нам предстоит показывать его всему миру как витрину России. «Крупные хозяйственники» во властных кабинетах подсчитывали, сколько миллиардов потратить на суперяхты и пятизвездочные отели, а здесь, рядом, в совершенно нечеловеческих условиях живут наши люди! И никому нет дела! Ведь гораздо престижнее заниматься мегапроектами, чем думать о реконструкции пятиэтажек и очистке моря от грязи.

Одна из газет опубликовала едкую по содержанию заметку «Со сцены в канализацию». Вечно склонные к иронии журналисты вовсю юморили по поводу моих комментариев о том, что море вокруг Сочи откровенно воняет, что стоки нечистот в непосредственной близости от пляжей могут навсегда отбить желание отдыхающих заходить в мутно-коричневые воды. Как же! Балерина в пуантах толкует про экскременты! Однако те, кому по долгу службы следует не только толковать, но и думать о чистоте Черного моря, почему-то тоже предпочитают исподтишка хихикать над столичной примой вместо того, чтобы взять и исправить ситуацию. Ведь о том, что на Черноморском побережье происходит затяжная экологическая катастрофа, известно уже давно — сами сочинцы и большинство отдыхающих уже не первый год предпочитают летом плавать в бассейнах с хлорированной водой.

После каждой новой встречи обнаруживались все новые проблемы курортного города. Складывалось впечатление, что единственный вопрос, обсуждаемый кандидатами в мэры и всеми СМИ, — это быть или не быть Олимпиаде. Но Олимпиада длится всего две недели. А что дальше? Есть ли жизнь после 2014 года? Что будет с жителями Сочи после того, как отстреляют салюты и тысячи гостей разъедутся по домам? Грязное море, убогие пятиэтажки, отсутствие газа и воды, транспортный коллапс? Неужели все останется как прежде? Не получится ли, как в одной восточной притче, когда один съел целую курицу, а второй остался голодным, но на двоих, вроде как, оба хорошо поели? Простые вопросы, лежащие на поверхности, никого не заинтересовали. Видимо, нужно быть балериной и блондинкой, чтобы увидеть простые человеческие проблемы, лежащие в тени «проектов века»?

Общаясь с сочинцами на улицах, в магазинах и продовольственных рынках, я сразу давала им понять, что совсем не разбираюсь в том, как класть трубы и асфальтировать дороги, и не хочу имитировать бурную деятельность. Я готова собрать профессиональную команду исключительно из жителей Сочи и, главное, — на основе открытого конкурса (!) на все основные должности в городской администрации. Такого еще не было нигде в России! Глаза простых людей зажигались, я видела, что они отделяют меня от серой завравшейся чиновничьей массы, я поверила, что они верят в меня!

Неприятным сюрпризом для меня стала неожиданная отмена двух встреч с трудовыми коллективами. Одна — в крупном сочинском ведомственном санатории, другая — в обычной общеобразовательной школе. За день до моего приезда моему штабу официально сообщили, что «работники не хотят видеть Волочкову». Потом, правда, перезвонили, шепотом извинялись и сдавленным голосом намекали на вмешательство высшей воли. В тот момент я поняла, что, как это часто бывало в моей жизни, на честный поединок рассчитывать не придется.

Члены сочинской избирательной комиссии проголосовали за мое исключение единогласно. С каменными лицами. Когда один из моих адвокатов поинтересовался, как можно отказывать в регистрации из-за того, что на банковском чеке не написан мой день рождения, один из тех типов, которые еще неделю назад заглядывали мне в глаза и засыпали комплиментами, громко выкрикнул: «Все ясно и так. Хватит тут пиариться!»

Клочок бумаги размером с обычный чек из продуктового магазина: «Приходный кассовый ордер. Сбербанк РФ ЦО № 1806. Получено от Волочковой Анастасии Юрьевны 282 000 рублей. Сумма прописью...» На обратной стороне под диктовку банковских сотрудников вывела свое имя, адрес, номер паспорта и расписалась... «Волочкова застеснялась своего возраста»,— напишут потом мои многолетние «доброжелатели» из желтых газет. Даже им было ясно, что повод избавиться от меня был выбран самый что ни на есть нелепый.

Я стала мешать слишком многим. Интернет-опросы стали давать от пятнадцати до двадцати процентов голосов избирателей, я за одну неделю вошла в двадцатку самых популярных российских политиков.

Дальше откладывать им, видимо, было уже нельзя. Сочинский избирком вычеркнул «кремлевского кандидата» Волочкову на самом старте, не дав ей взорвать весь заранее спланированный ход выборов. Но чиновники не учли одного: на проблемы и препоны я всю свою жизнь реагирую одинаково — я их ломаю. По-настоящему почувствовав, что люди небезынтересно мое мнение, что они верят и поддерживают меня, я уже не смогу быть просто балериной. В Сочи не получилось, но думаете, я остановлюсь?

В заключение я хотела бы сказать, что не столь важно, как я танцевала и какой была балериной. По-настоящему важно то, что я смогла сделать, подарить миру и людям просто как человек. Как личность. Общаясь с детьми, я хочу на собственном примере показать им, как важно с раннего детства иметь Мечту. И что для осуществления этой Мечты не так важно, есть ли у тебя врожденные способности и материальные возможности. Главное — это желание и настойчивый повседневный труд на пути к Цели. И тогда можно достичь самых больших высот в науке, искусстве, спорте и любых других областях жизни.

Именно поэтому для меня так важен проект школ творческого воспитания для детей, которые мы сейчас создаем с командой единомышленников. Нужно помогать нашим детям развивать в себе тягу к высокому, к тому чеховскому восприятию мира, когда в человеке все должно быть прекрасно — и мысли, и душа, и тело. И поступки — добавлю я.

Иногда я пытаюсь сама себе ответить на вопрос, каким образом тогда в детстве мне удалось не сломаться и преодолеть свои самые первые препятствия? Скорее всего, благодаря вере в себя, вере в меня моих родителей и, как это ни странно, внутренней готовности к сложностям. Моя постоянная занятость переросла в привычку грамотно распределять время, заниматься только тем, что действительно является важным. Думаю, мне есть что передать, чему научить девочек, которые только что выбрали самую красивую из всех творческих профессий на Земле!

Если моя история послужит для кого-то примером, кого-то убережет от ошибок, кого-то спасет от отчаяния, кому-то поможет выстоять в, казалось бы, невыносимых условиях, значит, все, что я создавала и создаю,— не зря. Потому что все, что я делаю, я делаю для вас!

Петербург. Театральная площадь. Участники съемочной группы спрашивают меня, как же так может быть, что Волочкову (!) отказываются пускать в Мариинский театр? Существовала и договоренность с телекомпанией, да и съемки, казалось бы, простые: репетиция в балетном зале, — и выигрышные для театра: реклама никогда не бывает лишней. А я отвечаю, что в такой ситуации нет ничего удивительного. Не так давно сам Юрий Николаевич Григорович во время гастролей его театра на сцене Мариинки стоял у закрытых дверей около двух часов, ожидая разрешения на проход. Его имя значилось на афишах, но не в списках на проходной. Просто забыли внести. Не менее нелепая ситуация произошла в Москве с Марисом Лиепой, когда ему вообще запретили переступать порог Большого театра. Он ежедневно покупал самый дешевый билет на галерку для того, чтобы попасть в театр и провести репетицию со своим сыном Андрисом в одном из залов, который находился в зрительской части театра.

Съёмочная группа в недоумении, разочарованно возвращается в автобус. Съёмки мы решаем перенести в зал одного из московских театров. А я думаю о том, что ничего страшного не произошло. Всё ужасно нелепо, бесстыдно, но совсем не страшно. Смешно даже.

Нынешний руководитель балета Мариинского театра Юрий Фатеев в то время, когда я, будучи ещё студенткой балетной Академии, уже танцевала на сцене театра ведущие партии в балетах, исполнял роль Горохового Шута. И только эту роль и играл в театре на протяжении ещё последующих десяти лет...

Сколько их было и будет в моей жизни, этих «шутов гороховых»...

Время расставит все точки над «i». И откроет все двери.

Оглавление

Пролог 5

БАЛЕТ

Глава 1. «Щелкунчик» 9
Глава 2. «Лебединое озеро» 43
Глава 3. «Кармен» 134
Глава 4. «Жар-птица» 147
Глава 5. «Шехеразада» 158
Глава 6. «Спящая красавица» 179
Глава 7. «Спартак» 202
Глава 8. «Жизель» 219
Глава 9. «Корсар» 236
Глава 10. «Раймонда» 249
Глава 11. «Баядерка» 262
Глава 12. «Русский Гамлет» 279

ЗА СЦЕНОЙ

Глава 13. Мои опыты в кино 291
Глава 14. Ледниковый период на ТВ в сердце 297
Глава 15. Сочи 2009 307

Эпилог 316

Литературно-художественное издание

Анастасия
ВОЛОЧКОВА

История
русской балерины

Координаторы проекта: *Антон Атрашкин,
Ингрид Пильдес*

Ведущий редактор *Екатерина Серебрякова*
Ответственный редактор *Филипп Бастиан*
Литературный редактор *Елена Денизова*
Художественный редактор *Юлия Межова*
Технический редактор *Валентина Беляева*
Верстка *Ольги Савельевой*
Корректор *Валентина Леснова*

ООО «Издательство АСТ»
141100, Россия, Московская область,
г. Щелково, ул. Заречная, д. 96
Наши электронные адреса: WWW.AST.RU
E-mail: astpub@aha.ru

ООО «Астрель-СПб»
197372, Санкт-Петербург, ул. Ситцевая, д. 17,
лит. Б, пом. 6-Н
E-mail: mail@astrel.spb.ru

Отпечатано с готовых файлов заказчика
в ОАО «ИПК «Ульяновский Дом печати»
432980, г. Ульяновск, ул. Гончарова, 14

ИЗДАТЕЛЬСКАЯ ГРУППА act

ПРИОБРЕТАЙТЕ КНИГИ ПО ИЗДАТЕЛЬСКИМ ЦЕНАМ В СЕТИ КНИЖНЫХ МАГАЗИНОВ [буква]

В Москве:

- м. «ВДНХ», г. Мытищи, ул. Коммунистическая, д. 1, ТРК «XL-2», т. (495) 641-22-89
- м. «Бауманская», ул. Спартаковская, д. 16, т. (499) 267-72-15
- м. «Каховская», Чонгарский б-р, д. 18, т. (499) 619-90-89
- м. «Коломенская», ул. Судостроительная, д. 1, стр. 1, т. (499) 616-20-48
- м. «Маяковская», ул. 1-ая Тверская-Ямская, д. 8, т. (495) 251-97-16
- м. «Менделеевская», ул. Новослободская, д. 26, т. (495) 251-02-96
- м. «Новые Черемушки», ТЦ «Черемушки», ул. Профсоюзная, д. 56, 4 этаж, пав. 4а-09, т. (495) 739-63-52
- м. «Парк культуры», Зубовский б-р, д. 17, стр. 1, т. (499) 246-99-76
- м. «Перово», ул. 2-я Владимирская, д. 52, т. (495) 306-18-97
- м. «Преображенская площадь», ул. Большая Черкизовская, д. 2, к. 1, т. (499) 161-43-11
- м. «Сокол», ТК «Метромаркет», Ленинградский пр-т, д. 76, к. 1, 3 этаж, т. (495) 781-40-76
- м. «Тимирязевская», Дмитровское ш., д. 15/1, т. (495) 977-74-44
- м. «Университет», Мичуринский пр-т, д. 8, стр. 29, т. (499) 783-40-00
- м. «Царицыно», ул. Луганская, д. 7, к. 1, т. (495) 322-28-22
- м. «Щукинская», ТРК «Щукинская», ул. Щукинская, вл. 42, т. (495) 229-97-40
- м. «Ясенево», ул. Паустовского, д. 5, корп. 1, т. (495) 423-27-00
- М.О., г. Зеленоград, ТЦ «Ириловум», Крюковская площадь, д. 1

В регионах:

- г. Владимир, ул. Дворянская, д. 10, т. (4922) 42-06-59
- г. Екатеринбург, ТРК «Парк Хаус», ул. Сулимова, д. 50, т. (343) 216-55-02
- г. Калининград, ул. Карла Маркса, д. 18, т. (4012) 71-85-64
- г. Краснодар, ТЦ «Красная площадь», ул. Дзержинского, д. 100, т. (861) 210-41-60
- г. Красноярск, пр-т Мира, д. 91, т. (3912) 23-17-65
- г. Новосибирск, ТЦ «Мега», ул. Ватутина, д. 107, т. (383) 230-12-91
- г. Пенза, ул. Московская, д. 83, ТЦ «Пассаж», т. (8412) 20-80-35
- г. Пермь, ТЦ «7 пятниц», ул. Революции, д. 60/1, т. (342) 233-40-49
- г. Ростов-на-Дону, ТЦ «Мега», Новочеркасское ш., д. 33, т. (863) 265-83-34
- г. Рязань, Первомайский пр-т, д. 70, корп. 1, ТЦ «Виктория Плаза», т. (4912) 95-72-11
- г. Санкт-Петербург, Лиговский пр-т, д. 185, т. (812) 766-22-88
- г. Самара, ТЦ «Космопорт», ул. Дыбенко, д. 30, т.8(908) 374-19-60
- г. Тольятти, ул. Ленинградская, д. 55, т. (8482) 28-37-68
- г. Тула, ул. Первомайская, д. 12, т. (4872) 31-09-22
- г. Уфа, пр. Октября, д.26-40, ТРЦ «Семья», т. (347)293-62-88
- г. Чебоксары, ТЦ «Мега Молл», ул. Калинина, д. 105а, т. (8352) 28-12-59
- г. Череповец, Советский пр-т, д. 88а, т. (8202) 53-61-22

Широкий ассортимент электронных и аудиокниг ИГ АСТ Вы можете найти на сайте www.elkniga.ru

Заказывайте книги почтой в любом уголке России 123022, Москва, а/я 71 «Книги – почтой» или на сайте: shop.avanta.ru

Курьерская доставка по Москве и ближайшему Подмосковью: Тел/факс: +7(495)259-60-44, 259-41-71

Приобретайте в Интернете на сайте: www.ozon.ru

Издательская группа АСТ www.ast.ru 129085, Москва, Звездный бульвар, д. 21, 7-й этаж Информация по оптовым закупкам: (495) 615-01-01, факс 615-51-10 E-mail: zakaz@ast.ru